ANDRES
OPPENHEIMER

Crónicas DE HEROES Y BANDIDOS

ANDRES
OPPENHEIMER

Crónicas DE HEROES Y BANDIDOS

RAYA
EN EL
AGUA

grijalbo

CRÓNICAS DE HÉROES Y BANDIDOS

Diseño de portada e interiores: Efraín Herrera

ISBN 970-05-0881-1

IMPRESO EN MÉXICO

Índice

Prólogo

Un embajador norteamericano en el Caribe me hizo una vez, medio en broma, la siguiente advertencia: "En este país, sólo puedes creer la mitad de lo que escuches... y nada de lo que veas". En ese momento, lo tomé como una de las tantas bromas sobre la política latinoamericana, a veces tan difícil de entender para los diplomáticos sajones. Sin embargo, después de dos décadas de recorrer América Latina como corresponsal extranjero, me encontré con versiones del mismo dicho en todos los rincones de la región. Cada país, en algún momento de su historia reciente, describió su realidad política como "kafkiana", reclamó para sí el título de epítome del "realismo mágico", o se autodefinió como una nación surrealista.

He aprendido, a fuerza de golpes de realidad, que las cosas en esta parte del mundo muchas veces son lo contrario de lo que aparentan ser. Los héroes a menudo no son tan buena gente, ni los bandidos tan diabólicos. Y los grandes acontecimientos que parecen fruto de sofisticadas conspiraciones políticas muchas veces son producto de pequeños caprichos personales, amoríos secretos o raptos místicos de quienes mueven los hilos del poder.

Las siguientes crónicas, escritas en las últimas dos décadas, no pretenden sugerir que los grandes acontecimientos de la historia latinoamericana no tengan relación con intereses políticos o económicos. Su fin es mucho más modesto: insinuar que, muchas veces, aquello que Graham Green llamó "el factor humano" tiene tanta incidencia sobre la historia como las motivaciones políticas con que –especialmente quienes nos hemos formado en países adictos a teorías conspirativas– solemos explicar la realidad.

En América Latina, los géneros de la biografía y la anécdota personal son muchas veces despreciados como facilismos, mientras que los análisis políticos cargados de palabras difíciles y especulaciones sobre posibles complots internacionales todavía otorgan un certificado de respetabilidad. Las teorías conspirativas, salpicadas con citas tomadas al azar de periódicos norteamericanos, aún generan suspiros de admiración en los círculos intelectuales de Buenos Aires o la Ciudad de México. Si esto se debe a la tradición académica que heredamos de la colonia española o a la herencia católica, no lo sé. Alguna vez escuché que los pueblos más adeptos a las teorías conspirativas son los más desconfiados de sus gobernantes, los que menos creen en las instituciones que los gobiernan. Puede ser. Como no podemos creer lo que dicen las autoridades, no nos queda otra que buscarle la quinta pata al gato, y damos por sentado que hay una lógica –cuando no una ideología– detrás de cada hecho.

Muchas de las crónicas que siguen intentan reflejar esa otra dimensión de los hechos, que tantas veces omitimos en nuestra explicación racional-conspirativa de la historia. En ese sentido, creo que la más ilustrativa es "La guerra de los brujos", una historia sobre los acontecimientos que precedieron a la invasión norteamericana a Panamá en 1989. Es un relato sobre la disputa entre el general Manuel A. Noriega y el coronel Roberto Díaz Herrera, y sus respectivos asesores espirituales, que dio origen a la explosión social en ese país. Escribí ese texto, que aparece aquí por primera vez publicado íntegramente en español, después de diez viajes a Panamá en los dos años que precedieron a la invasión militar norteamericana, y de entrevistar a docenas de altos jefes militares panameños, incluyendo a Noriega y Díaz Herrera. Se trata de una de mis crónicas favoritas (aunque releyéndola a varios años de distancia, me doy cuenta que quizá hoy en día describiría con mayor deferencia los arranques místicos de sus protagonistas. Los años lo vuelven a uno más abierto a lo inexplicable, supongo).

Otras crónicas, como "Final de una larga noche" o "Cubanas de armas tomar", son viñetas poco conocidas de la realidad de América Latina, o investigaciones sobre personajes o temas que no siempre son reflejados cabalmente por la prensa norteamericana. Casi todas estas crónicas aparecieron originalmente en inglés, y fueron traducidas y adaptadas para este libro. Dos de los artículos incluidos en este volumen, "Un argentino en Tokio" y un reportaje a Jorge Luis Borges, fueron publicados por una revista argentina hace más de veinte años. Cada una a su manera, la mayoría de estas crónicas reflejan esa dimensión poco conocida de los hechos y personajes de nuestro continente, un mundo en el que –como decía aquel diplomático– no todo lo que escuchamos ni mucho de lo que vemos corresponde a la realidad.

Andrés Oppenheimer
Coral Gables, EUA, 1998

El general Rebollo

CIUDAD DE MÉXICO, *Julio de 1997*. Hasta el día en que lo metieron a la cárcel, lo peor que se había dicho del general Jesús Gutiérrez Rebollo –un hombre corpulento, de cabeza calva y mirada hostil– era que se parecía a Benito Mussolini.

Antes de su arresto, el jefe de la policía antinarcóticos de México sólo había recibido elogios. El máximo funcionario de la lucha contra las drogas del gobierno norteamericano, general Barry R. McCaffrey, lo había llamado "un hombre de absoluta integridad". La Administración Antinarcóticos de Estados Unidos (DEA) lo había premiado con una placa "por su destacada contribución en el campo de la lucha antinarcóticos". El gobierno mexicano lo había nombrado jefe del Instituto Nacional de Control de Drogas (INCD) por su "valiente actuación" contra los narcotraficantes en varias regiones del país.

Pero en febrero de 1997, el mundo de Gutiérrez Rebollo se vino abajo. De pronto, se convirtió en un símbolo de la corrupción oficial en México y de la futilidad de los esfuerzos de Estados Unidos para combatir el narcotráfico en este país. La fotografía del general mexicano, con rostro severo y un auricular de traducción simultánea en los oídos, recorrió el mundo. Los despachos periodísticos que la acompañaban reproducían la versión oficial de que Gutiérrez Rebollo había sido el protector del narcotraficante más importante de México, y probablemente del mundo. Pocas veces se había visto una imagen más acorde con el siniestro historial que se le atribuía. Se decía que nadie jamás había visto sonreír al general Gutiérrez Rebollo. Las fotografías oficiales así lo atestiguaban.

Según el parte oficial de su arresto, Gutiérrez Rebollo había sido un maestro del engaño. Detrás de su fachada de hombre honesto y luchador incansable contra los barones de la droga, había un estratega frío y calculador, que había apresado a varios capos del cártel de Tijuana, encabezado por los hermanos Arellano Félix, mientras que protegía secretamente a los jefes del cártel de Juárez, lidereado por Amado Carrillo Fuentes, "El Señor de los Cielos". Ambas bandas estaban enfrascadas en una guerra sin cuartel por el control del negocio de la droga en la frontera mexicano-norteamericana, que hacia fines de los años noventa representaba, según cálculos norteamericanos, unos 30 mil millones de dólares anuales. Según decía ahora el gobierno mexicano, Gutiérrez Rebollo había estado recibiendo información confidencial del cártel de Carrillo Fuentes, que le había permitido capturar a varios de los principales capos del cártel rival. Mientras el general Gutiérrez Rebollo acumulaba medallas, continuaba la versión oficial, Carrillo Fuentes extendía sus zonas de control del narcotráfico. Era un negocio perfecto para ambos.

Desde su celda en la cárcel de máxima seguridad de Almoloya, el general Gutiérrez Rebollo contaba otra historia. Según él, lo habían arrestado por tratar de investigar los vínculos del narcotráfico en "los más altos niveles del gobierno mexicano", y por tratar de capturar a los hermanos Arellano Félix, quienes según él gozaban de la protección de los altos mandos del ejército. Gutiérrez Rebollo decía que tenía pruebas: grabaciones telefónicas, fotografías e incluso videos que comprometían a altísimos funcionarios. En sus investigaciones, había incluso grabado conversaciones entre narcotraficantes que aludían a nexos entre ellos y el suegro y los cuñados del presidente Ernesto Zedillo. Ahora, Gutiérrez Rebollo –convertido en el prisionero número 708 del penal de Almoloya– estaba enviando cartas a Amnistía Internacional, declarándose un "prisionero político" encarcelado por haber tratado de cumplir con su deber y aniquilar el cártel de Tijuana. "Mi padre no fue arrestado por ser un traidor", me dijo Teresita de Jesús Gutiérrez, la hija del general. "Su delito fue insistir en hacer su trabajo".

Cuando llegué a la Ciudad de México después del arresto del general Gutiérrez Rebollo, tenía un mar de dudas. ¿Era Gutiérrez Rebollo el arma secreta del cártel de Carrillo Fuentes para eliminar a sus competidores del cártel de Tijuana, como decía el gobierno? ¿Era un general honesto que conducía un Chevrolet de 1989, y que había sido silenciado por apuntar demasiado alto en sus investigaciones, como decía él mismo? ¿O fue su arresto, como sospechaban muchos, el corolario de una guerra secreta en las altas esferas del hermético ejército mexicano, cuyos motivos reales aún no estaban claros?

Yo había conocido a Gutiérrez Rebollo, casi por casualidad, dos días antes de su arresto. El 4 de febrero de 1997 había solicitado una entrevista con el procurador general, Jorge Madrazo, para hablar sobre una investigación de corrupción política en la que estaba trabajando. Madrazo me envió sus disculpas: en esos días no podía recibirme porque debía preparar una comparecencia ante el Congreso, me dijo. En su lugar, proponía arreglarme una comida a solas con el general Gutiérrez Rebollo, el flamante jefe de la policía antinarcóticos, que era su principal subalterno. ¿Tenía yo algún inconveniente? Aunque en ese momento no tenía particular interés en el tema del narcotráfico, asentí con gusto. En México, los generales no se caracterizan por confraternizar con la prensa. Se trataba de una oportunidad que no podía despreciar, aunque más no fuera por curiosidad.

La comida, sin embargo, había sido harto aburrida. El general me había recibido en su comedor particular. Su fugaz sonrisa de bienvenida había sido tan forzada que no cabía duda que estaba cumpliendo con órdenes superiores. Eso de invitar a comer a un periodista extranjero era ajeno a todo lo que había aprendido Gutiérrez Rebollo en sus varias décadas de servicio en las fuerzas armadas. Era un hombre tosco, poco acostumbrado a tratar con civiles. Se había pasado los últimos 43 años vistiendo uniforme militar. Ahora se lo notaba algo incómodo en traje y corbata. Llevaba un traje barato, una corbata ancha, pasada de moda, y un reloj cualquiera de los años setenta.

Luego de las formalidades de rigor, mientras un mozo vestido de blanco nos servía la comida, le pregunté sobre la reciente decisión presidencial de poner a un militar como él a la cabeza de la lucha contra el narcotráfico. ¿No se trataba de una decisión riesgosa? ¿No se ponía en riesgo la salud moral del ejército, que hasta ese momento –a diferencia de la policía mexicana– se había mantenido a salvo de la corrupción del narcotráfico? "En absoluto", me contestó el general Gutiérrez Rebollo. "Nosotros, los militares, estamos inmunizados contra la corrupción. A nosotros nos lavan la cabeza desde que entramos en el colegio militar, a los 16 años, con conceptos como la honestidad, la disciplina, el patriotismo. Un civil o un policía no han pasado por los treinta años de adoctrinación por los que hemos pasado los militares de alta graduación".

La vida de Gutiérrez Rebollo parecía un ejemplo fehaciente de la abnegación y el idealismo de los que se enorgullecían los militares mexicanos. El general, de 63 años, provenía de una familia humilde. Su padre era un campesino del estado de Morelos que se había unido a la revolución mexicana de 1910-1917, y había alcanzado el rango de mayor en el ejército de Zapata. De niño, Gutiérrez Rebollo había andado descalzo. Como a tantos jóvenes campesinos, el Partido Revolucionario Institucional (PRI), nacido para pacificar y desarrollar al país después de la revolución mexicana, le había dado una educación y una oportunidad de ascenso social en las fuerzas armadas. En los últimos años, después de casi cuatro décadas en el ejército, Gutiérrez Rebollo se había desempeñado como comandante de la V región militar de Guadalajara, que abarca cinco estados del centro del país. Nunca había viajado fuera de México. Se había tomado las últimas vacaciones en los años setenta, cuando había ido a visitar a sus suegros en Morelos. El 3 de diciembre de 1996 había llegado a la cumbre de su carrera: el presidente Zedillo lo había nombrado máximo jefe de la lucha contra las drogas. Después de varios escándalos de corrupción que involucraban a los altos mandos de la policía, hacía falta un general del ejército para limpiar la casa, y nadie parecía mejor que Gutiérrez Rebollo para la tarea.

Durante nuestra comida, como para aligerar la conversación, le pregunté al general cómo se sentía en su nuevo puesto. ¿Le gustaba vivir en la capital? Gutiérrez Rebollo titubeó unos segundos. Tras pensarlo un rato, dijo que al principio no le había resultado tan fácil adaptarse a su nuevo cargo. Se sentía algo extraño vestido de civil, trabajando con policías en lugar de militares, y sobre todo con mujeres. Nunca antes había trabajado con mujeres. Algunas veces lloraban. "Uno les da una orden, y creen que uno les está gritando", me dijo, entre burlón y consciente de su propia falta de sensibilidad para trabajar en el mundo civil. Me fui de la comida con la impresión de que el general Gutiérrez Rebollo era un hombre de origen humilde, intelectualmente limitado, y de poco trato social. Lo que se dice hombre de mundo, no era. Pero no se me cruzó por la mente que pudiera ser un infiltrado del narcotráfico en las más altas esferas gubernamentales, acaso el más encumbrado de todos.

Lo único en que coincidían Gutiérrez Rebollo y el gobierno era que el secretario de Defensa, Enrique Cervantes Aguirre, lo había convocado de urgencia a su oficina en dos oportunidades el 6 de febrero de 1997, a las 9:30 y a las 11:45 de la noche. El despacho del ministro era una sala enorme, con muebles coloniales franceses y sillones de cuero marrón. En una de las paredes, a la derecha del escritorio, había un cuadro que el ministro había ordenado colgar en todos los despachos de la Secretaría de Defensa. Era una cita del ex presidente Benito Juárez que Zedillo había incluido en su discurso inaugural, y que decía así: "Los funcionarios públicos no pueden improvisar fortunas ni entregarse al ocio y a la disipación, sino consagrarse asiduamente al trabajo, disponiéndose a vivir en la honrada medianía que proporciona la retribución que la ley les señala". En el centro del salón, había una enorme mesa de conferencias, rodeada de diez sillas, con dos grandes candelabros dorados colgando sobre sus extremos. En las cuatro esquinas de la sala se veían jarrones de porcelana de más de un metro de alto cada uno, decorados con escenas de batallas famosas. Era un estilo sobrio, señorial, militar.

Lo que sucedió allí esa noche depende de a quién uno le crea. Según Cervantes Aguirre, la primera reunión había durado apenas cinco minutos. Parado detrás de su escritorio, con Gutiérrez Rebollo y dos de sus ayudantes frente a él, el ministro de Defensa les había exigido resultados concretos en su accionar contra los narcotraficantes. El congreso norteamericano estaba por discutir la certificación de México como aliado en la lucha contra las drogas, y era preciso poder ostentar por lo menos una captura espectacular antes de que se iniciara el debate. "Les dije: Señores, tienen más de dos meses en sus respectivos cargos. Ya es tiempo que entreguen resultados positivos en sus investigaciones", recordó el ministro en una larga entrevista que me concedió en ese mismo lugar algunos meses después.

Poco más de dos horas después del primer encontronazo de aquella noche, Cervantes Aguirre mandó llamar nuevamente a Gutiérrez Rebollo. Esta vez, había otros altos militares esperando en la sala, a quienes el ministro había convocado en calidad de testigos. El ministro de Defensa invitó a Gutiérrez Rebollo a tomar el primer asiento a su izquierda en la mesa de conferencias. Los tres generales invitados por el ministro –el jefe de estado mayor de la Secretaría de Defensa, general Juan Salinas Saltés; el secretario particular del ministro, general Tomás Ángeles Dauahare, y el director del centro de inteligencia sobre asuntos de narcotráfico, general Tito Valencia Ortiz– tomaron asiento alrededor de la mesa.

La tensión entre el ministro y su encargado de la lucha antinarcóticos había ido en aumento desde el regaño inicial de aquella noche. Aunque ambos tenían casi la misma edad, poco más de 60 años, eran hombres de personalidades muy diferentes, cuyas trayectorias militares habían sido casi opuestas. El ministro de Defensa era un intelectual del ejército, o –como preferían describirlo los militares de campo– un general de escritorio. Luego de varios años de profesor del colegio militar, había ocupado la agregaduría militar de la embajada mexicana en Washington, y había ejercido varios puestos estratégicos en la Secretaría de Defensa. Era un hombre que se sentía a sus anchas en los pasillos del poder, ya fuera en la capital mexicana o en Washington. Se movía en un mundo que para Gutiérrez Rebollo, el soldado que nunca había salido de México, era prácticamente desconocido.

Ya sentados, el ministro le notificó a Gutiérrez Rebollo que había recibido una llamada esa mañana, con una denuncia sobre el apartamento en que estaba viviendo. Una rápida investigación había revelado que se trataba de una residencia "muy lujosa" en Bosques de las Lomas, un barrio de gente rica. El apartamento 2-A en la Torre Cuadro, ubicada en la calle Chalchihui 215, era una vivienda que Gutiérrez Rebollo no podía estar pagando con su salario de servidor público. La investigación había resultado en un descubrimiento preocupante. ¿Sabía Gutiérrez Rebollo que la persona que le había rentado el apartamento era Eduardo González Quirarte, uno de los principales lugartenientes de Carrillo Fuentes, el jefe del cártel de Juárez? "Cuando lo confronté, el general Gutiérrez Rebollo dio respuestas confusas. Estaba muy alterado", me relató el ministro meses después, reconstruyendo la escena. Lo más que atinó a decir Gutiérrez Rebollo era que el apartamento había sido rentado por la mujer con la que vivía allí, y que él no había participado en su arrendamiento.

Llegó un momento durante el interrogatorio en que el ministro temió que Gutiérrez Rebollo hiciera alguna locura, como suicidarse, según me dijeron luego algunos de los generales que participaron en la reunión.

—Jesús, ¿estás armado? –preguntó el ministro de Defensa.

—No, mi general –respondió Gutiérrez Rebollo.

—No te equivoques, no te pregunto si vienes armado por mí. Te lo pregunto por ti, porque te veo muy alterado –dijo el ministro.

En los días siguientes, Cervantes Aguirre descubrió que el propio Carrillo Fuentes había ocupado un apartamento en el mismo edificio. Un cateo militar del lugar había encontrado en el apartamento 6-A, donde se había hospedado el jefe del cártel de Juárez, un barril de vino con la etiqueta privada "Amado Carrillo". Peor aún, las investigaciones subsiguientes revelaron que Carrillo Fuentes le había dado al general Gutiérrez Rebollo y sus ayudantes "considerables sumas de dinero" y cinco automóviles, incluyendo un Jeep Cherokee 1994 blindado. La conclusión del ministro de Defensa era que Gutiérrez Rebollo estaba ayudando a Carrillo Fuentes a eliminar a los hermanos Arellano Félix, sus principales rivales.

Había una guerra despiadada entre los dos cárteles. En 1992, gatilleros del cártel de Carrillo Fuentes habían entrado a punta de metralla en la discoteca Christine, en Puerto Vallarta, matando a cinco miembros del grupo de los Arellano Félix. En 1993, los dos cárteles se habían enfrentado a balazos en el aeropuerto de Guadalajara, y –según la versión oficial– el fuego cruzado había causado la muerte del cardenal Jesús Posadas Ocampo. Pocos meses después, los Arellano Félix, ciegos de venganza, habían irrumpido a tiros en el restaurante Bali Hai de la Ciudad de México, donde Carrillo Fuentes estaba comiendo con su mujer y sus seis hijos. El jefe del cártel de Juárez y su familia habían salido con vida, pero seis personas, incluidos varios de sus guardaespaldas, habían muerto en el ataque. La guerra entre los dos cárteles iba en escalada, y estaba dejando más víctimas que la propia batalla entre el gobierno y los dos cárteles del narcotráfico.

"Una dc las plazas clave del control del narcotráfico era y es Guadalajara", me explicaría luego el ministro de Defensa. "Allí, el general Gutiérrez Rebollo actuaba como brazo ejecutor de Amado Carrillo para hostigar al cartel rival, con el que tenían rencillas añejas."

Gutiérrez Rebollo contaba una versión muy diferente sobre la reunión con su jefe aquella noche del 6 de febrero. No fue nada fácil obtener su versión de los hechos. El gobierno no permitía el acceso de periodistas al penal de Almoloya, a pesar de que el general me había hecho llegar un mensaje de que tenía mucho interés en concederme una entrevista. Tampoco estaba permitido enviarle preguntas por escrito. Los parientes del general eran revisados de arriba abajo cada vez que ingresaban al penal, y se les quitaban grabadoras, bolígrafos y papeles. Eran medidas de seguridad, para evitar atentados contra los internos, explicaban las autoridades de la prisión. Después de varias semanas de infructuosos intentos por comunicarme con el general, acordé con su hija Teresita que iría a su casa un jueves por la noche, para aprovechar el llamado telefónico de diez minutos semanales a su familia a que tenía derecho el preso. Pero el plan no funcionó: ese día esperamos hasta pasada la medianoche, junto con la esposa e hija del general, sin que se produjera la llamada. Al día siguiente nos enteramos de que no se le había concedido acceso al teléfono, lo que la familia interpretó como evidencia de que los militares estaban interceptando nuestras llamadas y habían querido evitar la entrevista.

Finalmente, después de varias semanas de buscar formas de recibir su testimonio, comencé a enviarle preguntas a través de su hija, su esposa y sus abogados. Teresita, una mujer diminuta de unos treinta y tantos años, cuya tez morena y lentes de contacto verde esmeralda atraían las miradas masculinas, se encargó de actuar de correo y de procurarme todos los documentos que pudiera encontrar. Divorciada de un militar, con un hijo adolescente a quien enseñaba a rezar en todas las comidas, como lo hacía ella, se había dedicado tiempo completo a la defensa de su padre. Gracias a su ayuda, las respuestas comenzaron a llegar, primero fraccionadamente, luego con mayor lujo de detalles. A los tres meses de su encarcelamiento, Gutiérrez Rebollo comenzó a hacerme llegar los primeros testimonios escritos a través de sus abogados, a quienes con el correr del tiempo se permitió ingresar al penal bolígrafos y papeles para que el prisionero pudiera firmar documentos procesales.

Según la historia que me hizo llegar por esas vías, Gutiérrez Rebollo y el ministro de Defensa se habían enfrentado a gritos esa noche. Gutiérrez Rebollo dice que, en la primera de las dos reuniones, le había expuesto a su jefe un plan para capturar a los hermanos Arellano Félix. A medida que avanzaba en su propuesta, había notado una creciente reticencia por parte del ministro. En el mejor de los casos, Cervantes Aguirre no tenía mayor apuro en apresar a los capos del cártel de Tijuana. En el peor de los casos, los estaba protegiendo. Cuando la conversación entre los dos militares llegó a un punto muerto, Gutiérrez Rebollo cambió el tema a otra de sus investigaciones: el caso de los hermanos Amezcua y la familia del presidente Zedillo. Los hermanos Jesús, Adán y Luis Amezcua eran los capos de un cártel basado en Guadalajara que se dedicaba al tráfico de anfetaminas, y que operaba en estrecha relación con los Arellano Félix. Gutiérrez Rebollo había logrado interceptar las comunicaciones telefónicas de los hermanos Amezcua, grabando escabrosas conversaciones que hacían referencia a supuestos vínculos de los narcotraficantes con el suegro y los cuñados del presidente Zedillo. Gutiérrez Rebollo llevaba consigo algunos tramos de las grabaciones esa noche. Era tan sólo una muestra. Tenía más de treinta cintas grabadas, le dijo al ministro.

En una de ellas, los hermanos Luis y Adán Amezcua se quejaban de que el suegro del presidente, don Fernando Velasco Silva, estaba empezando a darles la espalda. De la conversación entre los dos narcos, resultaba obvio que había existido algún tipo de relación entre ellos y don Fernando Velasco, aunque la naturaleza del vínculo no estaba clara.

—Antes, andaba bien aliado, y ahorita anda bien asustado el pinche suegro –decía Adán.

—¿Quién? –preguntó Luis.

—El suegro de Zedillo. Ya no quiere saber nada.

—¿Por qué? –preguntó nuevamente Luis.

—Pos' lo regañaron… Ya no quiere meterse en nada. Ni en pláticas.

—¿Cómo?

—Que ni en pláticas –continuó Adán–. Porque lo mandó regañar su hija... Que ella no respondía por ninguno.

En otra de las cintas grabadas, el abogado de Jesús Amezcua hablaba con su cliente acerca de un litigio sobre unos terrenos, y la ayuda que les había prestado Fernando Velasco hijo, el hermano de la primera dama.

—Parece que Luis, tu hermano, a su vez es amigo de Fernando Velasco, el cuñado del presidente –decía el abogado.

—Sí, sí, es cierto –contestó Jesús.

—Así fue como me la aventaron. Parece ser que estos cabrones le fueron a solicitar a su compadre que es tu hermano; tu hermano le pide el favor a Fernando, y Fernando habla con su hermana. Todo esto se controló.

Según Gutiérrez Rebollo, el rostro del ministro se tornó aún más agrio cuando le señaló que había "corroborado los datos" que involucraban a la familia presidencial. El ministro de Defensa habría montado en cólera. Furioso, acusó a su subalterno de quebrar la disciplina militar, y amenazó con presentar cargos en su contra por sus relaciones con González Quirarte, el lugarteniente de Carrillo Fuentes.

Gutiérrez Rebollo explotó. Eso era un golpe bajo, dijo. Efectivamente, González Quirarte le había servido como informante, y había aportado valiosísima información para arrestar a varios capos del cártel de Tijuana. Todos los policías, en México y en cualquier lugar del mundo, usaban a bandidos para obtener datos acerca de otros bribones. Lo que le parecía peor, continuó, es que había mantenido informado permanentemente al ministro de Defensa sobre su conexión con González Quirarte. Si se le iba a culpar de tener vínculos con González Quirarte, también eran responsables el ministro de Defensa y gran parte del alto mando, gritó Gutiérrez Rebollo.

En ese momento, según la versión de Gutiérrez Rebollo, el ministro llamó a sus guardias y les ordenó que se llevaran al general rebelde al hospital militar. Lo registraron bajo una identidad falsa y colocaron guardias frente a su habitación. "Fui ilegalmente detenido y me dieron medicinas para matarme", decía el ahora preso número 708. Lo habían arrestado "por haber descubierto que el narcotráfico ha llegado hasta la misma presidencia de la República".

La hija de Gutiérrez Rebollo dice que corrió desde su casa en Ciudad Satélite hasta el hospital militar, después de que un general amigo le informó que su padre estaba en coma. "Toda una sección de la unidad de cuidado intensivo estaba cerrada", dice Teresita. "Dos soldados armados y ocho vestidos de civil me dijeron que habían sido comisionados por el secretario de Defensa para proteger a mi padre, y que yo no podía verlo". Teresita afirma que se abrió paso hasta la habitación, y que encontró a su padre consciente pero débil después de una operación del corazón.

En los días posteriores, Teresita y su madre descubrieron otras cosas. Había otra mujer en el salón de espera, con dos jóvenes a su lado. Su nombre era Lilia Esther, y vivía con Gutiérrez Rebollo en el apartamento de la calle Chalchihui. Los dos hombres a su lado eran sus hijos, que habían sido adoptados por el general.

"Imagínate mi sorpresa", me dijo Teresita, todavía atónita, varias semanas más tarde. "Yo era la única hija, la consentida de la familia, y de pronto me encuentro con dos hombres que se presentan como mis hermanos". La esposa de Gutiérrez Rebollo, María Teresa Ramírez, una mujer profundamente católica que desde niña rezaba ave marías varias veces por día, estaba boquiabierta. Me confesó que más de una vez había sospechado que su marido podía tener una aventura amorosa. Los comandantes de zona, como su marido, vivían haciendo inspecciones de cuarteles en varios estados bajo su jurisdicción, y pasaban largo tiempo fuera del hogar. Pero la señora de Gutiérrez Rebollo nunca se había esperado que hubiera una mujer con una casa establecida, con la que el general había formado otra familia. Sentada en un sofá, con los pies juntos y las manos entrelazadas sobre las piernas, me confesó que aún no había tocado el tema en las visitas a su marido en la cárcel. Ahora, tenían problemas más urgentes que solucionar, como la avalancha de gravísimos cargos que estaba presentando el gobierno contra el general, que de prosperar podían terminar con una sentencia de cadena perpetua y la confiscación de todos sus bienes. Tiempo después, uno de los abogados de Gutiérrez Rebollo me comentaría, medio en broma: "Mira, yo defiendo al general en su caso contra el gobierno, pero no me animo a defenderlo ante su mujer cuando vuelva a su casa".

Para el general Gutiérrez Rebollo, la acusación del gobierno de que vivía en un apartamento de lujo que supuestamente estaba por encima de sus posibilidades era ridícula. Efectivamente, tal como lo había denunciado el ministro de Defensa, Gutiérrez Rebollo pagaba 1,300 dólares mensuales por el apartamento de la calle Chalchihui. Pero lo que el ministro estaba ocultando a la opinión pública, decía Gutiérrez Rebollo, era que su salario total como militar en ejercicio y jefe del INCD era de más de 10,000 dólares mensuales. ¿Qué había de extraño, entonces, en que destinara un diez por ciento de su salario a pagar dicho apartamento? Muchos mexicanos se considerarían afortunados de poder destinar una fracción tan pequeña de sus ingresos para pagar su vivienda, me señalaba el general desde su celda.

El argumento de Gutiérrez Rebollo tenía sentido. Pero cuando, entusiasmado por mi descubrimiento periodístico acudí al ministro de Defensa y a los investigadores del caso para confrontarlos con la falta de lógica –o matemática– en los cargos contra Gutiérrez Rebollo, bajaron la cabeza y sonrieron. Era lógico que tuviera mis dudas en el caso de la renta del apartamento de la calle Chalchihui, me dijeron. Pero lo que yo no sabía era que el salario de Gutiérrez Rebollo no alcanzaba para pagar dicho apartamento por un motivo que el gobierno no había revelado hasta el momento: el general tenía otras dos novias, además de Lilia Esther, cuyos respectivos apartamentos también eran pagados por él.

El subteniente oficinista Artemio Flores, quien llevaba la agenda de Gutiérrez Rebollo durante sus años como comandante militar en Guadalajara, había testificado que cuando su jefe no se encontraba persiguiendo a narcotraficantes, estaba con alguna de sus cuatro mujeres. Con su esposa, Teresa, vivía en la calle Santo Domingo, de la capital tapatía. Con Lilia Esther, la madre de su bebé y los dos varones que había adoptado, vivía en la calle Alejandro Dumas. Con otra señora, llamada Beatriz y oriunda de San Luis Potosí, vivía en la calle Laguna de Pescadores. Con la cuarta, que también se llamaba Lilia, vivía en la colonia Roma de la Ciudad de México, había testificado el memorioso oficinista, que había sido el encargado de mandar los cheques a las mujeres del general.

Ahora, los investigadores del gobierno estaban hurgando en las cuentas bancarias y propiedades de Gutiérrez Rebollo, su familia, y sus amantes. Según me dijo uno de los investigadores, habían descubierto que Gutiérrez Rebollo, su esposa, su amante Lilia Esther y sus hijos tenían 1.8 millones de dólares en "depósitos en efectivo que no pueden justificar legítimamente". Asimismo, había "posiblemente otros 1.2 millones en cuentas bancarias secretas bajo otros nombres o compañías anónimas".

Los investigadores gubernamentales agregaban que ya existían evidencias claras de sus vínculos con el jefe del cártel de Juárez. El ex chofer de Gutiérrez Rebollo –Juan Galván, ahora principal testigo de la fiscalía– decía que había sido enviado a reunirse con el narcotraficante por lo menos en siete ocasiones entre diciembre de 1996 y enero de 1997. Según el gobierno, Gutiérrez Rebollo llevaba una doble vida, en todo sentido de la palabra. Con lo cara que estaba la vida, ni los 10,000 dólares mensuales de sueldo alcanzaban para mantener a sus varias mujeres.

Sin embargo, me quedaban varias incógnitas: ¿Por qué el máximo funcionario antidrogas de México sería tan estúpido como para arrendarle un apartamento al lugarteniente del mayor narcotraficante del país? ¿Y por qué sería tan tonto como para escoger un apartamento en el mismo edificio donde vivía el propio Carrillo Fuentes, uno de los hombres más buscados del mundo? ¿Y por qué habría acumulado tan sólo 2 o 3 millones de dólares, una cifra ridícula en el mundo del narcotráfico, sobre todo para ser el máximo protector de un criminal cuya fortuna era calculada en más de 25 mil millones de dólares?

El ministro Cervantes Aguirre se encogió de hombros cuando le formulé estas preguntas. Sobre el apartamento, sólo había una explicación: Estupidez. El general Gutiérrez Rebollo probablemente se confió, porque había logrado engañar a mucha gente durante mucho tiempo. En cuanto al monto de su riqueza, era un dato insustancial, me señaló otro alto funcionario gubernamental: "No lo estamos procesando por enriquecimiento ilícito, sino por recibir dinero de los narcotraficantes. Si recibió millones, o sólo unos cuantos vehículos, es intrascendente".

Hacia el final de nuestra entrevista, el ministro de Defensa resumió sus argumentos en unas pocas palabras: Gutiérrez Rebollo había sido un maestro de la simulación, que había convencido a todo el mundo de que era un hombre austero y un cruzado en la guerra contra las drogas. "En realidad, había estado sirviendo como brazo ejecutor del cártel de Carrillo Fuentes para hostigar al otro cártel", me dijo. Fuera de su despacho, en los pasillos de otras oficinas públicas y en algunas columnas periodísticas, se tejían conjeturas tenebrosas, que vinculaban a Gutiérrez Rebollo con oscuros planes para desestabilizar a México antes de una nueva ronda de negociaciones para el tratado de libre comercio entre México y Estados Unidos.

Había otra explicación, claro, aunque menos espectacular que las anteriores. Como en tantos otros escándalos políticos, lo que había echado a perder al general era una mujer, o más precisamente, tres. Cuando vivía en Guadalajara, antes de su ascenso al cargo de jefe del cuerpo antinarcóticos, Gutiérrez Rebollo estaba acercándose al retiro. Calvo, pasado de peso y con una expresión de enojo que le había valido el mote de Mussolini, no tenía dónde caerse muerto si lo jubilaban del ejército.

Había conocido a Lilia Esther en 1989, en Culiacán, en el estado norteño de Sinaloa, cuando se desempeñaba como comandante de la III y IX regiones militares. Los había presentado Norma Corona, una activista de derechos humanos de Sinaloa, y se habían enamorado a primera vista. Cuando se conocieron, el general tenía 55 años, una edad de grandes incertidumbres y enamoramientos tempestuosos. Lilia Esther, que tenía poco más de 30 años, estaba en su máximo esplendor. Era una rubia teñida, de alrededor de 1.68 metros de estatura, con un cuerpo ligeramente voluptuoso. El general se sentía al mismo tiempo rejuvenecido por el amor, y preocupado por su retiro. Era un militar pobre, en un país en que la prosperidad generaba más elogios que la honestidad. No tenía educación, modales ni conexiones como para conseguir un trabajo digno, ni tenía reservas como para poder vivir cómodamente de rentas.

A su alrededor, México parecía una fiesta: el presidente Carlos Salinas estaba comenzando a abrir la economía mexicana al mundo, y –de la noche a la mañana– empresarios y políticos ligados al régimen estaban amasando fabulosas fortunas. Era *vox populi* que Raúl Salinas, el hermano del presidente, estaba metido en cuanto negocio había por hacer. Poco después, se descubrirían cuentas por más de 250 millones de dólares de Raúl Salinas, en Suiza, Francia, Alemania y Estados Unidos. Según especuló uno de sus amigos, si Gutiérrez Rebollo hablara inglés, hubiera dicho que cuando se juntó con Lilia Esther se encontraba en un "middle-age crisis".

Lo cierto es que la vida del general cambió de allí en más. Comenzó comprando una casa para su nueva novia. Luego vinieron las adopciones de sus dos hijos adolescentes y la necesidad, casi inmediata, de comprarles carros. Luego vino el bebé que tuvo con Lilia Esther, y las crecientes demandas de esta última por tener cierta seguridad económica. Muy pronto apareció en el living de la casa de Lilia Esther un cuadro con una foto enorme de los tres: ella a la izquierda, el bebé entre medio, y el general a la derecha. Era una de las pocas fotografías en que podía verse a Gutiérrez Rebollo riendo. Acaso la única. Ya no se trataba de una aventura amorosa. Era una segunda familia, por cuyo futuro ya se había hecho responsable.

Después vinieron, por orden de aparición, Beatriz y la otra Lilia. Y no tardaron en llegar sus respectivas exigencias. Hacia finales de 1996, antes de su traslado a la capital para hacerse cargo del combate antinarcóticos, Gutiérrez Rebollo tenía una camioneta Suburban blanca, un Grand Marquis verde y un Cutlass azul marino con su esposa Teresa; una Suburban verde y un Neón color rojo con su amante Lilia Esther; una camioneta Silhouette blanca y un Spirit verde con su amiga Beatriz, y otros vehículos no identificados con la Lilia de la Ciudad de México, según el testimonio del subteniente Flores. Eran muchas las bocas –y los vehículos– que alimentar, explicaban los investigadores del caso.

Así fue como Gutiérrez Rebollo, después de pedir cuanto préstamo a bajo interés había disponible para militares o funcionarios de gobierno, comenzó a incurrir en los pequeños pecadillos de su oficio para hacer frente a sus crecientes obligaciones económicas. Quizá, como otros comandantes militares y policiales, comenzó a quedarse con una parte de los cargamentos de dinero o droga confiscados a los narcotraficantes, una especie de impuesto tácito que se cobraban los servidores de la ley para cubrir sus magros ingresos. Lo más seguro es que, como tantos otros jefes militares lo habían hecho antes que él, creó una pequeña compañía de seguridad personal, en la que ofrecía a sus soldados, en sus horas libres, como guardas personales para los industriales de la zona.

Y entre una y otra cosa, lo más probable es que también comenzara a aceptar uno que otro regalito de su principal informante, González Quirarte. En ese momento, no se le ocurrió que podría ser una operación de alto riesgo, ya que sus superiores estaban al tanto de su relación con el lugarteniente del jefe máximo del cártel de Juárez. Lo que es más, dichos vínculos constituían una reserva importante de información para el gobierno, cuando necesitara entregar cabezas de narcotraficantes del cártel de Tijuana –el más violento de todos– a Estados Unidos. Y si alguno en el futuro objetara su relación con González Quirarte, había una coartada perfecta: la familia de González Quirarte había tenido vínculos comerciales con la V región militar de Guadalajara desde hacia más de una década. El padre de González Quirarte era dueño de los campos vecinos a la base militar, y le había estado vendiendo alimentos al cuartel desde hacia más de quince años, mucho antes de que Gutiérrez Rebollo asumiera la comandancia de la zona.

A medida que, gracias a los datos aportados por su informante, capturaba a más narcotraficantes, ganaba más medallas y veía crecer sus pequeñas empresas, Gutiérrez Rebollo comenzó a ver la luz al final del túnel, afirman algunos de sus allegados. Aunque agobiado por sus deudas cada vez mayores, se sentía rejuvenecido por el amor y lleno de bríos para emprender nuevos proyectos. En 1996, había empezado a tomar clases de golf tres veces por semana, en un club privado cerca de la base militar de Guadalajara. Para el hijo del campesino de Morelos que había llegado a general del ejército, su próximo retiro ya no era un pasaporte obligado a la pobreza.

¿Pero era Gutiérrez Rebollo un narcotraficante? ¿Había servido de brazo ejecutor del cártel de Carrillo Fuentes, como lo aseguraba el ministro de Defensa? Después de escuchar todas las explicaciones del gobierno, aún tenía mis dudas. Estaba claro que Gutiérrez Rebollo no era un santo, ni el disciplinado militar que hacía un culto de la honradez, como él mismo se había presentado en nuestro primer encuentro. ¿Pero era más corrupto que los otros generales? No podía descartarse que la historia fuese al revés de la relatada oficialmente, y que Gutiérrez Rebollo hubiese sido promovido a jefe de la lucha antidrogas precisamente por tener informantes de la talla de González Quirarte. ¿Acaso no era más probable que el presidente Zedillo lo hubiera nombrado jefe del INCD por su capacidad de obtener datos de inteligencia que podían permitir capturar a grandes capos del narcotráfico? ¿Y no era llamativo que el presidente lo nombrara poco antes del debate sobre la certificación de México en el congreso de Estados Unidos, cuando el país necesitaba un golpe fuerte al narcotráfico para desarmar a sus críticos en el país del norte?

Probablemente nunca sabremos la respuesta: los principales testigos de la vida secreta del general Gutiérrez Rebollo desaparecieron del mapa uno tras otro. Unos se escaparon tras su arresto, y otros murieron en circunstancias dudosas. Lilia Esther, la número uno entre las amantes del general, huyó con su bebé antes de que llegaran los agentes del gobierno a allanar su casa. Corona, la activista de derechos humanos de Sinaloa que los había presentado, murió acribillada en un tiroteo, en lo que los periódicos dijeron fue un atentado del cártel de los Arellano Félix. Fernando Velasco, el cuñado del presidente Zedillo a quien se habían referido los hermanos Amezcua en las conversaciones telefónicas grabadas por el general, falleció en diciembre de 1996 en un accidente de tránsito en la carretera de Guadalajara a Colima. Y Carrillo Fuentes, El Señor de los Cielos, el presunto jefe de Gutiérrez Rebollo, falleció inesperadamente el 4 de julio de 1997 en una clínica de maternidad de la Ciudad de México. Los periódicos dijeron que murió de un ataque al corazón tras una operación de cirugía plástica y liposucción de ocho horas de duración.

Hacia fines de 1997, Gutiérrez Rebollo se encontraba en su celda de máxima seguridad de la prisión de Almoloya, en compañía de huéspedes tan ilustres como Raúl Salinas y Mario Aburto, el asesino confeso del candidato presidencial Luis Donaldo Colosio.

En México, su caso había pasado de las primeras planas a las páginas policiales. La oficina de la presidencia había logrado convencer a los editores de los principales periódicos de que el general era un delincuente, y que su caso no merecía atención en el mundo de la política. En privado, los funcionarios de otras dependencias levantaban las cejas, sugiriendo que algo se estaba tapando. Según las reglas no escritas del sistema político mexicano, hay tres temas que son "intocables" en este país: el presidente en ejercicio y su familia, los militares, y la virgen de Guadalupe. El general Gutiérrez Rebollo se había metido con dos de ellos.

En Washington D.C., el caso estaba cerrado. Los funcionarios norteamericanos decían que creían en la versión del ministro de Defensa. Cuando le pregunté al zar de la lucha antinarcóticos de Estados Unidos, general Barry McCaffrey, sobre las acusaciones de Gutiérrez Rebollo contra el ministro de Defensa y el gobierno mexicano, me contestó: "Las he escuchado, y simplemente no las creo".

Su respuesta no era de extrañar. Independientemente de si existen pruebas fehacientes de que Gutiérrez Rebollo ha estado al servicio de Carrillo Fuentes, Estados Unidos parecía tener una ética flexible en su guerra contra las drogas. Cuando se trataba de Colombia, la Casa Blanca no escatimaba palabras: acusaba al gobierno colombiano de complicidad con el narcotráfico, y señalaba públicamente a sus máximos funcionarios –incluido el presidente Ernesto Samper– como protectores de los narcotraficantes. Pero cuando se trataba de México, el gobierno norteamericano solía ponerse guantes de seda. "Too much is at stake" –"Hay demasiadas cosas en juego"–, decían en privado funcionarios del Departamento de Estado, señalando que la estabilidad en México era una cuestión de seguridad nacional para el gobierno norteamericano. Una acusación de Estados Unidos contra un alto funcionario mexicano podía provocar un colapso financiero de alcances internacionales, como la crisis de la deuda externa de 1982, o el efecto tequila de 1994. Con México, no se podían tomar riesgos.

Ahora, los funcionarios norteamericanos dedicaban tantos elogios al ministro Cervantes Aguirre como antes al general Gutiérrez Rebollo. "México está tomando las medidas correctas", había dicho el general McCaffrey un día después del anuncio del arresto de Gutiérrez Rebollo. "Apoyamos las medidas que el gobierno de México ha tomado, y les pedimos que prosigan con la investigación".

✍

Posdata: El caso contra Gutiérrez Rebollo resultó aún más extraño meses después de publicado este artículo, cuando la revista *Proceso* dio a conocer documentos internos de la Secretaría de Defensa mostrando que González Quirarte había visitado en varias oportunidades dicho ministerio, y se había reunido con varios generales en el despacho del ministro para discutir temas de narcotráfico. La Secretaría de Defensa señaló luego que González Quirarte había sido traído por dos abogados, y que los altos mandos militares desconocían su verdadera identidad en el momento de efectuarse la reunión.

El loco en el exilio

CIUDAD DE PANAMÁ, Panamá, *Marzo de 1997*. Era poco después de la hora del almuerzo de un día sofocantemente caluroso y el recién derrocado presidente ecuatoriano Abdalá Bucaram estaba sentado en una mesa de blackjack en la sala semivacía del casino del hotel Caesar Park. Las manos del ex presidente jugueteaban con seis pilas de fichas, que –según calculé rápidamente– sumaban unos 600 dólares.

"Juego para matar el tiempo, mientras me preparo para el regreso", me dijo Bucaram, sin desviar la vista de la mesa, mientras depositaba tres fichas de 25 dólares sobre el tablero. "Voy a regresar a Ecuador en junio, para preparar mi campaña para las elecciones del año próximo y mi retorno a la presidencia".

Bucaram, que asumió con orgullo el sobrenombre de "El loco" durante su campaña presidencial el año pasado y fue derrocado recientemente por el Congreso bajo cargos de "incapacidad mental", parece confiado en que regresará pronto al poder. Después de todo, tiene tan sólo 45 años y su reciente expulsión del país tras sólo seis meses en la presidencia no es una situación nueva para él. Ha estado exiliado en Panamá en dos ocasiones anteriores, y en ambos casos retornó a Ecuador para recibir bienvenidas cada vez más entusiastas y cargos gubernamentales más encumbrados.

En su país, el nuevo gobierno encabezado por Fabián Alarcón, el ex presidente del Congreso, lo acusa de haber robado unos 88 millones de dólares. Según funcionarios oficiales, Bucaram también se llevó valiosos cuadros del palacio presidencial, y la pluma de oro que habían utilizado varios presidentes para firmar decretos de importancia histórica.

Por la impresión que me dio esa tarde, los cargos de corrupción masiva no parecían preocupar demasiado a Bucaram. No había tenido ningún reparo en encontrarse conmigo en el casino ni había dejado de jugar sumas nada despreciables en mi presencia. Cuando me había topado con él un día antes en el lobby del hotel y le había pedido una entrevista, me había citado precisamente en el casino. "Me doy una vuelta por allí casi todos los días, a eso de las tres de la tarde", me dijo. "Allí me puedes encontrar."

Mientras sacaba y ponía fichas en el tablero con movimientos casi mecánicos, Bucaram me invitó a sentarme a su lado y, casi sin mirarme, me pasó una columna de fichas para que jugara con él. Me excusé, lo más amablemente que pude, y empecé a preguntarle con la mayor delicadeza posible sobre las mil historias que se tejían sobre su persona.

Las anécdotas sobre las excentricidades de "El loco", reales e imaginarias, aumentaban a diario. Entre las que había anotado en un papel para que no se me olvidaran durante la entrevista figuraban las siguientes:

• Según las nuevas autoridades, un policía asignado al palacio presidencial, Miguel Lara Espinoza, fue enviado varias veces al Banco Central en un Jeep Cherokee el último día del gobierno de Bucaram para cobrar cheques por valor de unos 4 millones de dólares. Nadie ha dado cuenta de ese dinero.

• En un viaje oficial a Panamá, Bucaram donó 80,000 dólares en efectivo para construir dos canchas de baloncesto. La noticia causó una ola de protestas en Ecuador. Políticos de oposición señalaron que mientras el presidente distribuía billetes en el exterior, el gobierno había dejado de entregar materiales escolares gratuitos que Bucaram había prometido en su campaña.

• Bucaram usó un jet de 140 asientos de la Fuerza Aérea Ecuatoriana para mandar a su hijo Jacobito, de 17 años, a Miami. El motivo del viaje: internar a Jacobito en una clínica de reducción de peso, de la cual la familia presidencial había recibido excelentes referencias.

• Bucaram mantuvo en su cargo al polémico ministro de Energía, Alfredo Adum, a pesar de varias denuncias de que éste solía terminar las discusiones acallando a golpes a sus contrincantes. Según los periódicos, Adum le propinó un puñetazo en la nariz a un líder sindical que se oponía a sus políticas de austeridad, y le dio una patada a otro. Poco antes, Adum se había enemistado con la prensa, señalando que en su próxima vida le gustaría ser reportero, porque "los periodistas tienen una vida fantástica: se la pasan tomando café y escribiendo pendejadas".

• A poco de asumir el poder, Bucaram le dio una bienvenida de heroína nacional a Lorena Bobbitt, la ecuatoriana-norteamericana que se había convertido en la noticia del día en Estados Unidos tras cortarle el pene a su marido. Bucaram la recibió en el palacio presidencial y la presentó con orgullo ante la prensa.

• Durante su agitada gestión, Bucaram grabó un disco de rock con el grupo uruguayo "Los Iracundos" y prometió afeitarse su bigote hitleriano si reunía 1 millón de dólares en donaciones para un hospital de niños. El presidente logró su objetivo, y cumplió con su promesa.

Durante nuestra entrevista de tres horas en Panamá, Bucaram me reconoció que había cometido algunos "errores estúpidos" durante su presidencia, pero se describió a sí mismo como víctima de un golpe de estado por parte del Congreso.

El nuevo gobierno, que ha convocado a nuevas elecciones en febrero de 1998, estaba frente a una situación insostenible, dijo. No había forma en que las nuevas autoridades podían justificar el derrocamiento de un presidente democráticamente electo, como lo era él, aseguró el ex presidente.

"Si estoy loco, no me pueden llevar a juicio, porque la ley no permite que los incapacitados mentales sean acusados", explicó Bucaram, que cuenta con un título de abogado, citando la Constitución de su país. "Y si no estoy loco, entonces me tienen que restablecer en la presidencia."

El ex presidente, que tras sus estudios de abogacía hizo un posgrado en educación física, se mostró seguro de que cuando regrese recibirá una bienvenida triunfal. A pesar de las acusaciones del nuevo gobierno en su contra, no existe ninguna orden de arresto que le impida regresar a su país, explicó.

Mientras planea su regreso, Bucaram se está adaptando a su nueva vida en el exilio. Ha alquilado un amplio apartamento en el elegante vecindario de Punta Paitilla, frente al mar, donde vive con su esposa y sus cuatro hijos. Se levanta todos los días a eso de las 11 de la mañana, hace ejercicios, se da un paseíto por el casino en las primeras horas de la tarde y trabaja todas las noches, contactando a sus seguidores en el Ecuador por vía telefónica hasta alrededor de las cuatro de la mañana. Cuando puede, cocina para su familia y en las fiestas familiares toca la guitarra para sus hijos.

Según me dijo, poco después de su derrocamiento tuvo serias sospechas de que Estados Unidos había estado detrás del golpe en su contra. El embajador norteamericano, Leslie Alexander, había estimulado tácitamente las protestas en contra de Bucaram cuando señaló que la corrupción estaba llegando a niveles sin precedentes durante su gobierno.

Pero Bucaram me dijo que posteriormente había llegado a su poder un documento secreto de 53 páginas, escrito en parte por Paco Moncayo, el comandante del Ejército, que demostraba que Estados Unidos no había tenido nada que ver con su derrocamiento. El documento reflejaba que la principal preocupación de los conspiradores era, precisamente, que no tenían el apoyo de la embajada de Estados Unidos para su causa, y no sabían cómo hacer para consolidarse en el poder una vez tumbado el gobierno.

"Yo siempre he acusado a Estados Unidos de muchas cosas, pero ahora estoy firmemente convencido de que no están relacionados con el golpe de estado", dijo Bucaram.

El plan original de Moncayo era proclamarse él mismo presidente provisional, dijo. Añadió que los militares querían sacarlo del poder porque se habían sentido humillados por los gestos amistosos de Bucaram hacia el Perú, el país contra el cual se habían ido recientemente a la guerra. También estaban molestos por la oposición del presidente a las compras masivas de armamentos, dijo.

Moncayo niega las acusaciones de Bucaram. El viernes, las Fuerzas Armadas ecuatorianas dieron a conocer un comunicado diciendo que entablarían juicio contra Bucaram por "ofender" a los militares con declaraciones "antipatrióticas" realizadas desde el exilio.

Cuando le pregunté acerca de su fortuna, el ex presidente ridiculizó las acusaciones de que se había robado 88 millones de dólares, afirmando que la totalidad de su fortuna personal era de "entre 2 y 3 millones de dólares". Admitió, sin embargo, que había retirado 4 millones de dólares del Banco Central en las últimas horas de su presidencia, aunque no para guardárselos.

"Sí, es verdad", me dijo. "El dinero era necesario para atender la seguridad interna del país durante esos días tan difíciles de motines contra el gobierno. La policía, por ejemplo, necesitaba desesperadamente comprar gas lacrimógeno."

Pero, cuando le pregunté sobre las excentricidades que tanto habían dado que hablar en todo el mundo, "El loco" se encogió de hombros. No veía nada malo en haber utilizado un avión del gobierno para llevar a Jacobito a Miami, o en haber hecho las donaciones para las canchas de baloncesto en Panamá.

Para él, como padre, era muy importante ayudar a su hijo a solucionar su problema de sobrepeso. Jacobito pesaba 370 libras y sufría mucho. No podía utilizar un avión comercial "por consideraciones de seguridad personal", explicó. "Además, ¿acaso no es una razón de estado que un padre ayude a su hijo? ¿Dónde está el problema?", preguntó.

En cuanto a las donaciones que realizó durante su viaje oficial a Panamá, no era dinero del gobierno, sino de sus partidarios, dijo. Y si dio el dinero en efectivo, fue porque jamás había utilizado otra cosa que dinero contante y sonante.

"Nunca he tenido una chequera personal ni una tarjeta de crédito en mi vida. ¿Por qué iba a querer pagar intereses sobre una tarjeta de crédito si puedo pagar en efectivo?", preguntaba mientras extraía de su bolsillo un grueso fajo de billetes de 100 dólares y me los mostraba como evidencia. "Tengo cuatro guardias de seguridad a mi alrededor todo el día, de modo que nunca he tenido miedo de que me asalten."

Sobre Lorena Bobbitt, dijo que era un motivo de orgullo para Ecuador, porque había defendido los derechos de la mujer en todo el mundo. Sobre su disco de rock con "Los Iracundos" y el show que había dado al afeitarse su bigote en público, dijo que todo había sido para causas benéficas, que habían recaudado sumas extraordinarias.

Había otras cosas, sin embargo, que Bucaram preferiría no haber hecho. Había sido un error tratar de impulsar medidas de libre comercio a un ritmo mucho más acelerado de lo que el país estaba dispuesto a absorber, dijo. De hecho, la popularidad de "El loco" se había desplomado después del 7 de enero, cuando anunció su plan de austeridad, que incluía aumentos del 235 por ciento en las tarifas eléctricas y del 244 en las tarifas del gas.

También había cometido un error al antagonizar gratuitamente con la prensa, se lamentó. Había descuidado por completo cosas tan sencillas como invitar a almorzar a los directores de los principales periódicos, para explicar mejor sus políticas de estado. "Como candidato siempre me benefició de la publicidad negativa. Durante mi campaña, tuve el 98 por ciento de la prensa en mi contra, y sin embargo logré ganar las elecciones. Pero como presidente, fue un error no haber hecho un mejor trabajo de relaciones públicas", reconoció.

Hacia el fin de la entrevista no pude dejar de preguntarle lo que me había intrigado desde el primer momento. ¿Por qué me había citado en el casino? ¿Acaso no temía que dar una entrevista en un casino de Panamá en momentos en que el gobierno ecuatoriano lo acusaba de haberse robado 88 millones de dólares pudiera dañar su imagen aún más?

En absoluto, respondió con la mayor naturalidad. Las acusaciones de que estaba dilapidando una parte del producto bruto nacional del Ecuador en el casino no tenían una pizca de verdad.

"Nunca he perdido más de 2,000 dólares", me aseguró, como para dejar bien aclarado el asunto. Y luego, con una sonrisa de satisfacción agregó: "Hoy día me gané 400 dólares".

✍

Posdata: A fines de 1997, Bucaram continuaba exiliado en Panamá. El presidente Fabián Alarcón, mientras tanto, enfrentaba un juicio penal de la Corte Suprema. Los cargos eran parecidos a los que se habían presentado contra Bucaram: corrupción. Según la acusación, Alarcón había contratado más de 1,100 "pipones" –como se denomina en Ecuador a los empleados públicos que cobran sueldo sin trabajar– durante su gestión como presidente del Congreso.

La señorita Elliott

¿Tú crees posible que en un negocio de 30 mil millones de dólares por año, como el narcotráfico, todos los malos estén al sur de la frontera?

Un integrante del gabinete de México, en entrevista con el autor

La primera vez que leí algo negativo sobre Raúl Salinas fue en febrero del 95.

Cita atribuida a la banquera de Citibank Amy Elliott por investigadores oficiales de México y Estados Unidos

CIUDAD DE MÉXICO, *Noviembre de 1996.* En el verano de 1991, un año antes de que Raúl Salinas abriera una cuenta de millones de dólares en Citibank, los periódicos mexicanos comenzaron a publicar historias sobre presuntos negocios turbios del hermano del entonces presidente Carlos Salinas de Gortari. Los artículos periodísticos sobre Raúl Salinas y su tráfico de influencias fueron aumentando en el curso de los años siguientes.

Hoy en día, Raúl Salinas está encarcelado en México, las primeras planas de los periódicos informan sobre el descubrimiento de sus fabulosas cuentas secretas en Nueva York y Suiza, y Citibank está en la mira de una investigación federal de

Estados Unidos sobre si la institución violó normas bancarias al aceptar los depósitos del hermano del presidente. Según las leyes norteamericanas sobre lavado de dinero, los bancos de Estados Unidos deben cerciorarse de que los depósitos de sus clientes provienen de actividades legítimas, y no son producto de corrupción política o tráfico de drogas. Hasta el momento, el prestigioso banco neoyorquino continúa sosteniendo que cuando aceptó el dinero de Raúl Salinas, no tenía indicios de que su fortuna podría haber sido malhabida.

¿Pero, es posible que Citibank –el mayor banco extranjero en México desde 1929– no tuviera noticia de las historias que se estaban propagando en México sobre los negocios turbios de Raúl Salinas? ¿Puede ser que algo haya sido dicho en voz tan alta en México, y no hubiera llegado a los oídos de la gerencia del banco en Nueva York?

Se trata de preguntas clave en la investigación del escándalo financiero y político en torno de Raúl Salinas, que funcionarios mexicanos formulan en privado cuando argumentan que –en materia de corrupción– hay tantas responsabilidades en Estados Unidos como en México. Y son interrogantes cuyas respuestas ofrecen un vistazo sumamente revelador sobre cómo la luna de miel entre los gobiernos de Estados Unidos y México pudo haber influido en las relaciones entre el banco y miembros de la clase política mexicana.

Desde el momento en que *The Miami Herald* reveló la conexión de Raúl Salinas con Citibank hace casi un año, la gigantesca corporación bancaria neoyorquina ha sostenido que ni el banco ni sus empleados violaron normas bancarias norteamericanas.

Amy Elliott, la jefa del departamento de banca privada mexicana de Citibank en Nueva York, dijo a los investigadores que no sabía que Raúl Salinas pudiera estar involucrado en negocios turbios cuando le abrió una cuenta en junio de 1992. En aquel entonces, Raúl Salinas era sólo conocido como el hermano de un presidente que, a los ojos del mundo, había hecho "muchas cosas buenas por México", dijo ella. ¿Cómo podría haber sospechado en ese momento que su fortuna se produjo por comisiones malhabidas, tráfico de influencias, o delitos aún peores?, preguntó la banquera a los investigadores del caso.

"La primera vez que leí algo negativo sobre Raúl Salinas fue en febrero del 95", dijo Elliott a investigadores norteamericanos y mexicanos en un interrogatorio realizado en Nueva York el 13 de junio. "Era un artículo en que se decía o se le acusaba de haber sido el autor intelectual del asesinato de su ex cuñado".

Se trataba de un artículo periodístico que le había sido faxeado a su oficina en el piso 17 de las oficinas centrales de Citibank en Nueva York, donde se mencionaba a Raúl Salinas como el artífice del asesinato de José Francisco Ruiz Massieu, su ex cuñado, quien se desempeñaba en ese momento como el secretario general del partido gobernante.

Era un caso que había sacudido a la opinión pública mexicana como pocos. Corrían los primeros meses de 1995, el presidente Carlos Salinas ya había terminado su mandato de seis años, y el nuevo gobierno había tomado la decisión sin precedentes de arrestar a un pariente cercano de un ex presidente. Raúl Salinas fue arrestado el 28 de febrero de 1995, acusado de haber planeado el homicidio de Ruiz Massieu. Posteriormente, se le añadirían cargos de "enriquecimiento inexplicable".

Según partes de la declaración de Elliott que pudimos obtener, uno de los investigadores presentes en el interrogatorio preguntó: "¿Recuerda usted haber leído artículos que aparecieron en la prensa mexicana antes de febrero de 1995, donde se sugería que Raúl Salinas estaba involucrado en negocios sucios?"

La respuesta de Elliott fue: "Ya me preguntó usted eso mismo antes, y la respuesta sigue siendo no". Minutos antes, Elliott había dicho que "nunca, ni una sola vez, había leído alguno de esos artículos, o escuchado algo sobre esos artículos".

Sin embargo, investigadores del gobierno mexicano y fuentes norteamericanas residentes en México a principios de los años noventa dicen que hubiera sido muy difícil para cualquier persona medianamente informada no haber escuchado algún comentario negativo sobre Raúl Salinas en ese entonces. Bastaba leer los periódicos, y escuchar las conversaciones en las comidas de negocios, para estar al tanto del asunto.

El 12 de junio de 1991, un año antes de que Raúl Salinas conociera a Amy Elliott y abriera una cuenta en Citibank, el diario *Excélsior* –el más importante de México en ese entonces– publicó una columna que daba cuenta de un rumor que corría en círculos hípicos en el sentido de que Raúl Salinas y su hermano menor, Enrique, estaban a punto de firmar un contrato sumamente cuestionable mediante el cual adquirirían el 50 por ciento del hipódromo más grande del país.

La licencia del hipódromo de Las Américas cerca de la Ciudad de México estaba a punto de expirar. La columnista de *Excélsior* Manú Dornbierer escribió ese día que el propietario de la concesión, Justo Fernández, se encontraba negociando una extensión de 25 años, para lo cual se había asociado a los hermanos Salinas.

"Es probable que los parientes de los funcionarios públicos en todos lados se aprovechen de su posición...", escribió Dornbierer. "Quizá, un día aparezca alguien con la suficiente clase y honor para decir ¡Basta!"

Si la historia pasó desapercibida para los banqueros internacionales y los diplomáticos norteamericanos residentes en la Ciudad de México, habría sido difícil que cualquier persona medianamente informada no se hubiera enterado del escándalo que causó.

Dornbierer, cuya columna había aparecido regularmente en el *Excélsior* y casi 80 diarios mexicanos desde hacía varios años, anunció que renunciaría al periodismo hasta en tanto finalizara el gobierno de Salinas si su periódico se negaba a publicar una carta en que ella se defendía de los desmentidos del gobierno, y de las acusaciones oficiales de que había difamado a los hermanos del presidente.

La revista *Proceso*, el semanario político más importante del país, había publicado una historia detallada sobre el *affaire* Dornbierer en su edición del 29 de julio de 1991. El primer párrafo de la historia decía: "Una acusación contra Raúl y Enrique Salinas de Gortari, hermanos del presidente de la República... ha resultado en la partida de Manú Dornbierer".

Dornbierer envió copias de su carta de renuncia a unos 500 diarios y destacados políticos en México y en Estados Unidos, según afirma. Entrevistada telefónicamente en la Ciudad de México, donde ahora trabaja para otro periódico, me dijo que el escándalo alrededor de su artículo en 1991 no podría haber pasado desapercibido por Citibank.

"Era *vox populi* en ese momento que Raúl Salinas y los otros hermanos del presidente estaban haciendo negocios por todos lados", señaló. "Es absolutamente imposible que los bancos no lo supieran".

Algunos hombres de negocios y ex diplomáticos norteamericanos argumentan que Dornbierer tenía la fama de ser una virulenta opositora del gobierno de Salinas. Por lo tanto, dicen, no hubiera sido raro que sus columnas no fueran tomadas muy en serio por los banqueros.

Pero hacia mediados de 1992, cuando Raúl Salinas abría su cuenta con Citibank, ya había numerosas referencias en la prensa mexicana de que el hermano del presidente estaba haciendo una fortuna mediante negocios ilícitos, y estas acusaciones ya comenzaban a abrirse camino en la prensa norteamericana.

En un artículo publicado el 6 de agosto de 1992 en *Los Angeles Times*, el comentarista político mexicano Jorge Castañeda escribió: "¿Podría Raúl, el hermano de Carlos Salinas, aguantar un examen detallado de sus cuentas financieras, en lugar de que éstas continúen siendo sólo el objeto de rumores y ataques no confirmados de columnistas sensacionalistas?"

Luego, en septiembre de 1993, la revista *Proceso* informó que Raúl Salinas era uno de varios políticos en las altas esferas del poder que habían tratado de forzar a un hacendado a vender sus tierras a precios baratísimos en el estado norteño de Tamaulipas.

Si éstas y otras historias no llegaron a los oídos del Citibank en Nueva York, tampoco llegaron mediante cables diplomáticos a las oficinas del Departamento de Estado en Washington.

Bernard Aronson, quien estaba a cargo de la oficina de Asuntos Latinoamericanos del Departamento de Estado en ese entonces, me dijo que las denuncias sobre Raúl Salinas jamás llegaron a su despacho.

"Nunca siquiera conocí su nombre durante todo mi periodo como subsecretario de Estado", afirma Aronson, quien se desempeñó en el cargo desde febrero de 1989 hasta julio de 1993. "Eso no quiere decir que alguna otra agencia del gobierno de Estados Unidos no haya sabido algo al respecto... Pero si supieron algo, nunca me lo hicieron saber".

Fuentes cercanas a la embajada de Estados Unidos en México dicen que, a comienzos de la década de los noventa, muchos diplomáticos norteamericanos estaban al tanto de las denuncias de corrupción contra Raúl Salinas, y con frecuencia hablaban del asunto. Algunos dicen, sin embargo, que dudan que el tema se haya incluido en los cables de la embajada, o que fuera transmitido de otra manera a Washington.

Según los críticos del gobierno mexicano y del apoyo de Estados Unidos al gobierno de Carlos Salinas, la administración Clinton estaba tan inmersa en su campaña por la aprobación del Tratado de Libre Comercio (TLC) en el Congreso norteamericano, que no quería escuchar ninguna mala noticia sobre México.

En aquel momento, el presidente Salinas era casi unánimemente considerado, tanto por los hombres de empresa norteamericanos como por Clinton y el ex presidente George Bush, como el héroe que había abierto la economía mexicana al mundo. Salinas había privatizado cientos de empresas deficitarias, y apoyó con entusiasmo el acuerdo de libre comercio entre Estados Unidos, México y Canadá.

Eso era todo lo que contaba. En 1993, el presidente Clinton había proclamado su "enorme admiración por el presidente Salinas", llegando a describirlo como "uno de los principales artífices de la reforma económica en todo el mundo". La revista *Time* escogió a Salinas como su Hombre del Año de América Latina, afirmando que "Carlos Salinas de Gortari está cambiando por completo la historia de México". Para los funcionarios de la embajada de Estados Unidos en México, enviar informes sobre la corrupción en la familia Salinas hubiera significado desafiar la imagen generalizada de Salinas entre sus jefes. A menos de que tuvieran evidencias incontrovertibles en sus manos, reportar los rumores que aparecían en la prensa mexicana era un riesgo profesional que no valía la pena correr.

Los banqueros norteamericanos que simpatizan con Elliott dicen que, en medio de aquella entusiasta atmósfera política, hubiera sido difícil para cualquier banquero sospechar que el hermano del presidente mexicano pudiera estar vinculado en un asesinato, o en gigantescos casos de corrupción.

Pero muchos investigadores mexicanos creen que los bancos norteamericanos se taparon los ojos para no perderse el negocio de los millonarios depósitos del hermano del presidente. Señalan que muchos bancos de Estados Unidos tienen reglamentos internos que les prohiben aceptar cuentas de funcionarios públicos o sus familiares cercanos, especialmente cuando dichos depósitos son desproporcionadamente altos en relación con sus ingresos oficiales. Citibank afirma que no puede dar a conocer sus reglamentos internos, pero un ex banquero de Citibank señala que los mismos exigen a los supervisores del banco que tomen precauciones extraordinarias –como el averiguar el origen de grandes sumas– antes de aceptar cuentas de figuras políticas.

¿Y cuáles eran los ingresos de Raúl Salinas antes de que comenzara a depositar decenas de millones de dólares en sus cuentas de Citibank? En su calidad de administrador de un ente estatal, Raúl Salinas reportaba un ingreso total de 190,000 dólares por año a comienzos de los años noventa. Antes de que Citibank le abriera una cuenta, había sido rechazado por Chase Manhattan Bank Corp. y Bankers Trust New York Corp., según reportó tiempo después *The Wall Street Journal.*

La cuenta de Raúl Salinas comenzó a operar con depósitos relativamente pequeños, y creció sustancialmente en 1993 y 1994, a medida que se acercaba el fin de la presidencia de su hermano, y en que la prensa mexicana comenzaba a involucrar cada vez más al hermano del presidente con escándalos de corrupción, dicen los investigadores.

Fue en septiembre de 1995, seis meses después del arresto de Raúl Salinas bajo cargos de homicidio, cuando Amy Elliott sugirió a la mujer de Raúl Salinas, Paulina Castañón, que cerrara sus cuentas en Citibank. Castañón fue arrestada en Suiza dos meses después, cuando trataba de retirar fondos de Banque Pictet, en un incidente que se hizo público y sacó a la superficie gran parte del escándalo.

¿Por qué se había demorado tanto Citibank en cortar sus relaciones con Raúl Salinas?

"Había una cultura corporativa sumamente agresiva", especuló un ex funcionario del Citibank. "Había una presión tremenda sobre el departamento de banca privada para que aumentara su caudal de depósitos".

✍

Posdata: Un año después de escrito este artículo, *The Miami Herald* sacó a la luz un memo de la DEA a la Procuraduría General de la República de México, fechado el 17 de noviembre de 1995, donde la agencia norteamericana hacía un listado de toda la información que tenía la DEA sobre Raúl Salinas. El memo señalaba que, ya en 1988, un informante dijo a la DEA que Raúl Salinas estaba implicado en el asesinato de un político de izquierda; y que "una fuente de información ha señalado que (Raúl) Salinas estaba involucrado en el tráfico de drogas, y consumía cocaína él mismo" en 1992. El memo está firmado por Mike Vigil, encargado de la DEA en la embajada de Estados Unidos en México.

La señorita Elliott (II)

MIAMI, *Septiembre de 1996.* Amy Elliott, una estrella del exclusivo mundo de la banca privada internacional, es una mujer elegante, inteligente, que inspira confianza y seguridad. Entre sus clientes de Citibank, los ricos más ricos de México, es conocida desde hace años como una brillante consejera sobre inversiones, que siempre ha actuado dentro de la más estricta confidencialidad.

Pero ahora, el nombre de Amy Elliott ha salido a la luz pública y está en el centro de una investigación de tres países acerca del origen de más de 200 millones de dólares ocultos en las cuentas de Raúl Salinas de Gortari en Citibank y otros grandes bancos internacionales. El descubrimiento de las cuentas secretas de Raúl Salinas ha abierto todo tipo de interrogantes.

¿Cómo pudo aceptar Citibank millones en depósitos de Raúl Salinas? ¿No debería Elliott haber sospechado que quizá estaba aceptando dinero de origen dudoso, procedente de sobornos o del lavado de dinero del narcotráfico, de quien hoy en día se encuentra en una cárcel mexicana? ¿No se preguntó de dónde obtuvo el dinero Raúl, cuyo único empleo conocido era un puesto de administrador en una empresa paraestatal, y cuyos ingresos totales declarados al fisco no superaban los 190,000 dólares al año? ¿No estaba al tanto de las regulaciones bancarias norteamericanas, y las propias reglas internas de Citibank, que exigen que los bancos hagan una investigación sobre el origen de los depósitos millonarios para garantizar que no sean producto del narcotráfico?

Los investigadores le formularon éstas y otras preguntas a Elliott en un interrogatorio a puertas cerradas realizado en Nueva York el 13 de junio pasado. Por lo menos tres funcionarios policiales suizos, tres representantes de la Procuraduría General de México, dos funcionarios de la DEA de Estados Unidos, y un agente de la Oficina Federal de Investigaciones (FBI) interrogaron intensamente a Elliott después de que Raúl Salinas testificó en su celda que Elliott "propuso toda la estrategia" para usar corporaciones secretas en el extranjero y ocultar su fortuna.

En la prensa mexicana no tardaron en surgir sospechas de que Elliott podría haber soslayado algunas preguntas obvias con tal de obtener la jugosa cuenta de Raúl Salinas, y anotarse un nuevo éxito en su ascendente carrera profesional. Pero ahora, funcionarios estadounidenses y mexicanos señalan que la historia podría no ser tan sencilla. Es posible que las acciones de la banquera no hayan sido simplemente producto de su ambición profesional. Lejos de ello, Elliott podría haber sido una leal empleada que actuó en todo momento con la autorización de la gerencia máxima de Citibank. De ser así, el caso de Raúl Salinas plantearía nuevas preguntas sobre el rol de los grandes bancos internacionales en la lucha contra el narcotráfico y el lavado de dinero.

En su declaración de junio, Elliott dijo que había pedido autorización del jefe del departamento hemisferio occidental de Citibank, G. Edward Montero, y la abogada del banco, Sandra López Bird, para proceder con la cuenta de Raúl Salinas, según los relatos de un investigador que estuvo presente en el interrogatorio y dos importantes funcionarios familiarizados con la transcripción del mismo.

Elliott nombró a su jefe, Montero, por lo menos dos veces en su declaración, mencionándolo como el alto ejecutivo de Citibank con quien ella había consultado varias decisiones sobre la cuenta de Raúl Salinas, afirman los funcionarios.

"Elliott no hizo nada por su cuenta", señala uno de los investigadores que llevan adelante la pesquisa trinacional. "Los altos jefes de Citibank estaban detrás de todo lo que ella hizo".

Elliott testificó que, entre otras cosas, Montero la autorizó a entregarle información sobre las cuentas de Raúl Salinas al ex presidente Carlos Salinas de Gortari. En efecto, Elliott en una oportunidad pidió a uno de sus asistentes que bajara desde sus oficinas en el piso 17 del edificio de Citicorp, en Nueva York, hasta la acera. Allí estaba esperando el ex presidente Salinas, en una limosina. Elliott testificó que su asistente le entregó a Salinas una carpeta con información sobre su hermano. El ex presidente estaba tratando de recabar datos para ayudar a su hermano en el juicio que estaba enfrentando en México.

La presencia del ex presidente Salinas en Nueva York fue fugaz. Desde que dejó la presidencia y abandonó México pocos meses después, ha estado viviendo en Canadá, Cuba e Irlanda.

¿Qué dice Citibank sobre sus tratos con Raúl Salinas? Elliott, Montero y López Bird no respondieron mis llamadas, y las refirieron a la división de relaciones públicas del banco. El portavoz del Citibank en Nueva York, Richard Howe, rehusó hacer comentarios, señalando que hay una investigación en curso. La abogada de Elliott, Linda Imes, también se negó a hacer comentarios.

Según Citibank, Montero es el encargado de las operaciones bancarias privadas de Citibank en Latinoamérica y Canadá. En el momento en que se hicieron los depósitos de Raúl Salinas, Montero tenía como jefe a Hubertus Rukavina, quien estaba radicado en Suiza y era el encargado del departamento de banca privada internacional de Citibank. Rukavina, a su vez, tenía como jefe a Pei-yuan Chia, que era el vicepresidente de operaciones mundiales no corporativas de Citibank, según un portavoz de Citibank. Elliott no mencionó a Rukavina ni a Chia en su testimonio ante los investigadores en Nueva York, y Citibank se ha rehusado a comentar si Rukavina dio la luz verde para las transacciones bancarias de Salinas.

Lo único que se sabe es que, unas semanas después de que el escándalo de Salinas se hizo público, Rukavina fue transferido de Suiza a Nueva York y nombrado jefe del grupo de Productos de Inversión y Distribución del banco, un departamento que según algunos empleados del banco es de igual o menor jerarquía que el que dejó atrás. Chia, a su vez, se jubiló inesperadamente en enero.

Elliott también ha dejado de ocupar su posición anterior. De acuerdo con fuentes del banco, ahora trabaja en el área de Desarrollo de Productos, donde aún tiene contacto con clientes mexicanos. El portavoz del banco, Richard Howe, me dijo que ella “continúa siendo una empleada activa en Citibank”.

Interrogado sobre si los máximos ejecutivos del banco estaban al tanto de los masivos depósitos de Raúl Salinas, Howe contestó: "No hemos encontrado motivos para creer que hubo ninguna violación de las leyes por el banco o sus empleados".

El Departamento de Justicia de Estados Unidos está llevando a cabo su propia investigación sobre las transacciones de Raúl Salinas con bancos norteamericanos, tratando de establecer si las instituciones bancarias violaron alguna ley. Un gran jurado ha emitido ya unas 23 citaciones judiciales a bancos norteamericanos, de acuerdo con funcionarios cercanos al caso.

Aun si el Departamento de Justicia no encontrara violación de las leyes federales, Citibank podría verse en problemas en caso de no haber cumplido con sus propias reglas internas. Los reguladores bancarios norteamericanos señalan que, en términos generales, los bancos pueden ser multados con penas de hasta de 1 millón de dólares por violar sus reglamentos internos.

¿Y qué decían las reglas internas de Citibank para un caso como éste? Según el testimonio que la propia Elliott brindó en 1994 en Brownsville, Texas, en un caso donde fue convocada como testigo experta, las regulaciones internas de Citibank requieren que sus empleados exijan al menos dos referencias sobre cualquier persona que abra una cuenta extranjera. Agregó que tal requisito sólo puede ser obviado en caso de mediar el visto bueno de un alto funcionario del banco.

En esa ocasión, Elliott también declaró que las reglas internas del banco requieren una cuidadosa verificación de los clientes extranjeros, para asegurar que sus depósitos no tengan orígenes dudosos. Howe, el portavoz de Citibank, se abstuvo de comentar sobre el código de conducta del banco, señalando que el banco no hace públicos sus reglamentos internos.

En el caso de Raúl Salinas, según un funcionario norteamericano, la cuenta se abrió con una sola referencia, y con la aprobación de Montero. No está claro si Citibank verificó el origen de la fortuna de Raúl Salinas, pero en todo caso las oficinas centrales del banco en Nueva York y Suiza no pidieron información sobre el hermano del presidente a la filial mexicana. Ahora, para su defensa en la investigación del Departamento de Justicia, Citibank ha contratado a Robert Fiske, un poderoso abogado de Nueva York.

Según colegas que la conocen desde hace muchos años, Elliott no es ninguna improvisada, ni mucho menos una aventurera en su profesión. Por el contrario, la describen como una profesional pragmática, que hizo toda su carrera completa en Citibank. La mayoría coincide en que sería sumamente inverosímil que hubiera aceptado grandes depósitos sin autorización de sus superiores.

La banquera era una persona mandada a hacer para su trabajo, no sólo por su afinidad cultural con sus clientes de buena posición social en México, sino por tratarse de una ejecutiva que administraba muy de cerca las cuentas de sus clientes, buscando siempre nuevas formas de aumentar sus utilidades.

"Sus clientes la adoraban", me señaló un ex banquero de Citibank, que trabajó bajo las órdenes de Elliott en la década de los ochenta. "Era una obsesionada: desarrollaba una estrategia de inversiones, y luego mantenía a sus clientes informados de su rendimiento casi a diario".

Amy Elliott nació en Cuba, tiene alrededor de 50 años y habla inglés y español prácticamente sin acento. "Si tiene acento de algún tipo en inglés, es uno de clase alta", señala el banquero que trabajó con ella hace algunos años. Elliott se movía como pez en el agua en los círculos de la clase alta mexicana, donde encontraba sus mejores clientes.

La próspera banquera vivía con su marido y su hija en una mansión de nueve habitaciones en Summit, Nueva Jersey, un área exclusiva a unas 26 millas al sur de Manhattan. A comienzos de este año, los Elliott pusieron la casa en venta, por 569,000 dólares.

"Se vestía muy bien, con mucha clase", señaló otro ex colega de Elliott. "A menudo vestía minifaldas, pero no tenía un estilo provocativo".

Cuando surgió el escándalo de Raúl Salinas en 1994, Elliott ganaba unos 160,000 dólares anuales, entre sueldo y bonificaciones. Visitaba personalmente a sus mejores clientes en México una vez por mes, y los veía otras cuatro o cinco veces al año en Nueva York, cuando éstos pasaban por allí.

"Vemos a nuestros clientes muy a menudo", dijo Elliott ante la corte de Texas, cuando se le pidió que explicara cómo operan los banqueros con sus clientes más acaudalados. "Vamos a sus hogares... los visitamos con sus familias... vamos a sus empresas... nos acordamos de sus cumpleaños".

Y tras cultivar a su clientela mexicana durante más de una década, un periodo en el cual tantos de sus colegas habían cambiado de bancos o de países, Elliott había ganado la confianza de algunos de los hombres más ricos del país, muchos de los cuales la recomendaban a otros.

Dentro de la burocracia del Citibank, Elliott era conocida como una mujer más interesada en el rendimiento de sus cuentas que en las tramas internas de la compañía. "Era una mujer sumamente trabajadora, que no se metía para nada en los chismes de la oficina", afirmó uno de sus ex colegas.

Elliott había comenzado su carrera en Citibank en 1967, en un puesto de oficinista en el departamento de recursos legales. Con los años, y en parte gracias a su dominio del español, fue ascendida al departamento de cheques de viajeros. En 1980 recibió otro ascenso, esta vez al más prestigioso departamento de clientes internacionales, dedicado a las cuentas de extranjeros residentes en Estados Unidos.

En 1983, Elliott fue nombrada vicepresidente y "relationship officer" con clientes mexicanos. Era un trabajo de lujo, una combinación de relaciones públicas en las más altas esferas del país, con asesoría financiera y bancaria. Elliott era el contacto del Citibank con los mexicanos más acaudalados, una asesora de finanzas que ayudaba a los millonarios a invertir su dinero y abrir cuentas en el extranjero para protegerse de la inestabilidad política, los derrumbes económicos y la posibilidad de secuestros.

"El 'relationship officer' es, principalmente, un generalista", había declarado Elliott en su aparición como testigo en la corte de Texas. "Yo me encuentro con el cliente, determino cuáles son los objetivos de ese cliente… y luego voy al especialista (de Citibank)" para que este último se encargue del trabajo de escoger las acciones y los bonos que mejor se adecúan a la estrategia de inversión, dijo. Luego, otros funcionarios anónimos, sentados frente a sus computadoras, hacían el trabajo hormiga.

Hasta el momento en que Elliott tomó a su cargo la cuenta de Raúl Salinas, el hermano del presidente había estado escondiendo su dinero en bancos extranjeros bajo nombres ficticios, usando pasaportes falsos, según declaró el propio Raúl Salinas a los investigadores suizos durante un interrogatorio en su celda en diciembre pasado. Pero este procedimiento llevaba el riesgo de despertar sospechas entre los banqueros que recibían los depósitos. Tarde o temprano, alguien se preguntaría quién conocía a este misterioso millonario, cuyo pasaporte llevaba un nombre desconocido en los círculos empresariales o políticos mexicanos.

Raúl Salinas buscó una nueva forma de esconder su dinero, y pronto la encontró. El hermano del presidente conoció a Elliott por intermedio de Carlos Hank Rohn, el hijo mayor del multimillonario y ex alcalde de la Ciudad de México, Carlos Hank González. Hank Rohn los presentó en Nueva York en 1992 o a comienzos de 1993, y dio su recomendación para que Raúl Salinas fuera aceptado como cliente del banco, dicen los investigadores.

Según Elliott, Hank Rohn era conocido públicamente como uno de los hombres más ricos de México, y había sido un respetado cliente del banco por más de una década. No había motivo para dudar de su palabra.

Cuando los investigadores le preguntaron a Elliott, durante su reciente interrogatorio en Nueva York, si los enormes depósitos realizados por Raúl Salinas no deberían haber levantado sospechas en Citibank, Elliott dijo que Raúl le había asegurado que el dinero provenía de la venta de una compañía de construcción. Tiempo después, el programa "60 Minutes" de la cadena CBS citaría a Elliott diciendo a los investigadores en esa oportunidad que haber hecho más preguntas "habría sido como preguntarles a los Rockefeller de dónde sacaron su dinero".

A finales de 1995, varios meses después de que Raúl Salinas fuera arrestado por acusaciones de haber ordenado el homicidio de Ruiz Massieu, Citibank le pidió en forma privada a Salinas y a su esposa Paulina Castañón que sacaran su dinero de Citibank y lo transfirieran a otros bancos. Para entonces, el presidente Salinas ya había dejado su cargo, y los investigadores estaban descubriendo las cuentas por decenas de millones en media docena de países.

En su reciente interrogatorio en Nueva York, Elliott confirmó que se le había solicitado a Castañón que cerrara las cuentas de la pareja en Citibank.

¿Quién autorizó esa decisión?, preguntaron los investigadores.

Montero, dijo ella.

✍

La monita retrechera

En colaboración con **Gerardo Reyes**.

BOGOTÁ, Colombia, *Febrero de 1996.* La policía la encontró con 12 balazos en el cuerpo en un apartamento de un barrio humilde de Bogotá, a donde había ido a consultar su futuro con dos santeros cubanos. Al no poderla identificar, le pusieron NN y la llevaron a la morgue.

A las 24 horas, todo el país se enteró de que habían matado a la millonaria "monita retrechera", Elizabeth Montoya de Sarria. Y a medida en que pasaban las horas, cada vez más testigos salían a la palestra para afirmar que la víctima había sido una pieza clave en los presuntos contactos del narcotráfico con el presidente Ernesto Samper. ¿La asesinaron para callarla? ¿Se trataba de una conspiración política para evitar que hablara públicamente y tumbara al presidente de la república?

Algunos opositores del gobierno, como el senador Enrique Gómez Hurtado, han denunciado abiertamente que el gobierno fue el autor intelectual del asesinato. Samper reaccionó con furia, calificando las acusaciones de infames.

No hay evidencias claras de que Samper estuviera detrás del asesinato, por lo menos hasta el momento, según coinciden los fiscales. Lo que sí parece claro es que Elizabeth, lejos de ser una simple NN en la campaña política del presidente, desempeñó un papel mucho más importante del que se sospechaba en el ascenso político de Samper al palacio de Nariño. La millonaria empresaria fue una relevante recaudadora de fondos para la campaña presidencial de Samper, con acceso directo al candidato. Según los tesoreros de la campaña de Samper, había recaudado 2 millones de dólares para el presidente, gran parte de los cuales provenían de narcotraficantes. Y, según dicen los investigadores, poco antes de su muerte estaba contemplando declarar en contra de Samper, en lo que hubiera sido el primer testimonio directo de que las contribuciones del narcotráfico a la campaña presidencial habrían sido recibidas personalmente por el primer mandatario colombiano y no a sus espaldas, como él ha insistido.

Elizabeth, de 46 años, era una mujer menuda con varias operaciones de cirugía estética, que según decía se había hecho millonaria en el negocio de los caballos de "paso fino". Era coleccionista de diamantes, y tenía aviones privados y apartamentos con vista a la bahía en la suntuosa avenida Brickell de Miami. La prensa colombiana la bautizó como "la monita retrechera" luego de que se filtrara a los medios la grabación de una conversación que había tenido con el presidente, en que Samper la había llamado cariñosamente "monita", por su pelo rubio, y "retrechera", un término utilizado frecuentemente en el lenguaje hípico para referirse a yeguas mañosas. En la conversación grabada, Elizabeth le había suplicado que se tomara unos minutos para encontrarse con algunos posibles contribuyentes a su campaña, un grupo de supuestos banqueros que acababan de llegar de Brasil, a quienes identificó como "la gente de la Philip Morris". Samper, apremiado por el tiempo, se había mostrado reacio a salir de su casa, y le pidió a Elizabeth que la reunión se efectuara más tarde en su apartamento. "¿Mona, pero cómo hago para volarme si tengo un programa de televisión acá? Le hice un campito a las doce y media. Venga, no sea así de retrechera...", había dicho Samper.

El primero de febrero, la policía identificaba a la mujer baleada como la Monita. También fue asesinado en el mismo lugar Humberto Vargas, propietario de una cadena de carnicerías, y quien algunos creen suministraba al marido de Elizabeth ganado vivo para que éste lo usara en sus ritos santeros. Otros piensan que era el nuevo amante de Elizabeth. El asesinato de ambos ocurrió en medio de la peor crisis política en la historia de Colombia: dos de los principales colaboradores de Samper, su ex coordinador de campaña Fernando Botero y su tesorero Santiago Medina, habían atestiguado que recibieron 6 millones de dólares del cártel de Cali, incluidos los 2 millones de la Monita, y que el presidente había estado al tanto de las contribuciones. "Ella ayudó directamente al candidato a conseguir donaciones de personas que aportaron directamente dineros a través de ella... en el apartamento del doctor Samper", aseguró Medina ante la fiscalía.

El propio contador del cártel de Cali, Guillermo Pallomari, había testificado ante funcionarios norteamericanos después de su captura que el presidente sabía del ingreso de esos dineros. Sin embargo, fuera de la Monita, no había testigos presenciales de que el presidente recibiera esos fondos. Samper, que en un principio negó enfáticamente que dineros manchados por la droga podrían haber ingresado en su campaña, diría luego que posiblemente habían entrado algunas contribuciones de dudosa procedencia en sus arcas electorales, pero sin que él lo supiera.

El inventario de lo que la policía encontró en la casa de la Monita en Bogotá tras su muerte da una idea de su tren de vida. Entre otras cosas, la lista incluye: "Blusas: 278; faldas: 181; pijamas: 138; pares de zapatos: 148". Nacida de una humilde familia del departamento de Armenia, Elizabeth era dueña, además de los dos apartamentos en Miami, de una casa de por lo menos 5 millones de dólares en Los Ángeles, California. Entre sus bienes en Colombia figuraban el Hotel Marazul, en la isla de San Andrés, valorado en unos 37 millones de dólares, y el rancho Lady Di en las afueras de Bogotá, donde conservaba unos 300 valiosos caballos de "paso fino". En uno de los salones de la finca, Elizabeth había colgado un cuadro con una foto en la que aparecía abrazada con Samper, sonriendo a la cámara. La hacienda tiene un anfiteatro para competencias hípicas con capacidad para 5,000 espectadores, uno de los más grandes de Colombia. En el interior de la hacienda, todos los pisos tienen ladrillos grabados con el sello de la finca: una cabeza de caballo con una herradura a su alrededor.

Madre de siete hijos de diferentes matrimonios, Elizabeth tenía una tempestuosa relación con su último marido, Jesús "Chucho" Sarria. Había vivido con él en una lujosa mansión de 1 millón de dólares en las colinas del barrio Santa Ana, al norte de Bogotá, hasta que Sarria cayó preso el año pasado. En Bogotá, Elizabeth manejaba un BMW 735 blindado de color oro. En Miami, conducía un Rolls Royce, un Mercedes y un BMW. A mediados de los años ochenta, había sido propietaria de la joyería Tiffany Jewelry en 36 NE First Street de Miami, y era una de las coleccionistas de diamantes más importantes de América Latina. "Una vez compró en una subasta de Nueva York un diamante azul de 30 millones de dólares que había pertenecido a la ex primera dama de Filipinas, Imelda Marcos", recuerda uno de sus amigos.

Cuando la fiscalía preguntó a "Chucho" Sarria sobre el origen de su fortuna, éste dijo que había ganado unos 5 millones de dólares cuando trabajaba como jefe de guardianes de la isla prisión La Gorgona, en el Pacífico colombiano. Allí, dijo, había descubierto una mina de esmeraldas, que explotó con la ayuda de los prisioneros. Habían extraído esmeraldas de allí durante varios años, sin reportarlo al gobierno.

Sarria, un hombre de poca educación pero con fama de violento, infundía respeto y algún temor entre sus subalternos. Entre otras cosas, por sus conocimientos de santería. Se había ordenado santero palo mayombe en Miami en 1981. Algunos de los escoltas de Sarria llevaban en sus muñecas pulseras de colores, correspondientes a sus respectivos ángeles guardianes de la santería afro-caribeña. Sarria, arrestado en septiembre pasado por cargos de enriquecimiento ilícito, había sido mencionado en conexión con un cargamento de 5.9 toneladas de cocaína confiscado en El Salvador. Uno de los arrestados confesó que Sarria era el dueño del cargamento.

La primera vez que se mencionó públicamente el nombre de Elizabeth en relación con el escándalo de los narcodineros en la elección de Samper fue el 28 de julio de 1995, después de que Medina, el tesorero de la campaña, desertara del gobierno y declarara a la fiscalía que parte de los fondos del narcotráfico al equipo de Samper habían sido canalizados a través de ella. Desde entonces, la oposición colombiana y los investigadores independientes alentaron esperanzas de que Elizabeth declarara ante la fiscalía, aunque sólo fuera para corroborar el testimonio del ex tesorero de la campaña de Samper.

Según Medina, Elizabeth había recaudado una tercera parte de los 6 millones de dólares aportados por el cártel de Cali a la campaña de Samper. En una oportunidad, había entregado a Medina dos recibos por un total de 150,000 dólares, correspondientes a cheques de personas vinculadas al cártel de Cali.

Además, Elizabeth había contribuido personalmente con unos 10,000 dólares al mes, que fueron entregados directamente a Samper, según otro de los ex asociados del presidente.

De acuerdo con Medina, gran parte del dinero era entregado por Elizabeth al jefe de escoltas de Samper, el mayor de la policía Germán Osorio. Pero, tras la muerte de la Monita, Osorio se había esfumado. En la prensa colombiana se informó que había salido del país a principios de julio para tomar posesión como agregado militar en la embajada colombiana en Roma. La embajada, sin embargo, se niega a confirmar o negar la presencia del ex jefe de custodia allí.

Tras la revelación de los casetes con la conversación entre Samper y Elizabeth, el gobierno negó de inmediato que Samper se hubiera reunido con los supuestos banqueros. Pero luego se filtró a la prensa una segunda grabación, en la que se escuchan las voces del ex tesorero Medina, Elizabeth, Samper y un grupo con el que se acordó una contribución a la campaña a partir del 13 de marzo. Medina diría después que la donación era de 500,000 dólares.

El gobierno de Colombia ha acusado a Medina de ser un infiltrado del cártel de Cali. En un comunicado reciente, sostiene que "para la fecha de la supuesta conversación, la señora Sarria y su marido no estaban siendo investigados ni nacional ni internacionalmente por negocios indebidos". De acuerdo con agencias federales de Estados Unidos, sin embargo, Montoya había sido arrestada en Los Ángeles en 1986 por posesión, transporte y venta de cocaína, pero los cargos habían sido retirados luego. Sarria, en cambio, aparecía como sospechoso de narcotráfico en registros federales estadounidenses desde mediados de la década de los ochenta.

Medina respondió a los desmentidos del gobierno con un relato aún más pormenorizado de las relaciones de Elizabeth con Samper. Ante los fiscales, relató cómo el presidente había recibido un valioso anillo de Elizabeth, que esta última le había entregado como obsequio para el cumpleaños de su mujer. Medina contó que conoció a Elizabeth a través de la gerente de un banco, y que la había invitado a almorzar a su casa. "Mi sorpresa fue muy grande cuando supe que ella era amiga de mucho tiempo atrás del doctor Samper", dijo Medina.

En la misma declaración, el ex tesorero relató que luego de la victoria electoral de Samper, Elizabeth le había regalado al presidente electo 30,000 dólares en efectivo para su viaje a España. La manera en que se había manejado este dinero dio qué hablar en el entorno presidencial. Resulta que, para evitar problemas en la aduana madrileña, la primera dama repartió los fajos de billetes entre los escoltas de Samper, para que cada uno de ellos llevara una parte del dinero. Cuando la delegación llegó a su hotel en Madrid, cada uno de los guardaespaldas devolvió lo que llevaba. Pero, para desgracia de los escoltas, la familia presidencial no les había dejado ni una propina. "Comentaba el (jefe de escoltas) mayor Osorio, como hecho bochornoso, que cuando llegaron a su destino les habían contado billete por billete y no les regalaron ni 100 dólares", dijo Medina en su declaración. El tesorero concluyó señalando que, cuando Samper tomó posesión en agosto de 1994, seis meses después de la conversación grabada, Elizabeth había estado entre los invitados especiales a la recepción. Un carro oficial blindado la condujo desde su residencia al palacio de Nariño. Quedaban pocas dudas de la relación de amistad entre el presidente y su poderosa recaudadora de fondos.

Contradiciendo las afirmaciones de Samper de que jamás recibió dinero de Elizabeth o de su esposo, investigadores de la fiscalía aseguran que han identificado por lo menos tres cheques de la pareja que llegaron a manos de Samper. Los cheques, por un total de 92,000 dólares, fueron girados a los empleados de Sarria del hotel Marazul, en la isla de San Andrés, quienes a su vez los endosaron a Samper.

Desde que la prensa colombiana dio a conocer las grabaciones de Samper con Elizabeth, y Medina declaró sobre el vínculo entre ambos, Elizabeth había estado viviendo en la semiclandestinidad en Bogotá. Su marido seguía preso, y su nombre y fotografía estaban en las primeras planas de los periódicos. Se sentía cada vez más acorralada, y sola. "Elizabeth se volvió paranoica", dice uno de sus amigos. "Empezó a decirle a la gente que si Samper no liberaba a su marido, empezaría a hablar a la fiscalía acerca de las contribuciones a la campaña".

¿Llegó a intentar en ese momento tomar contacto con los fiscales para declarar en contra de Samper? El fiscal general Alfonso Valdivieso, un hombre independiente que parecía dispuesto a tumbar a Samper si lograba comprobar sus nexos con el narcotráfico, me señaló que la Monita había buscado contactarlo en una oportunidad a través de una tercera persona. "Nunca hizo una oferta formal y directa a esta oficina", me dijo Valdivieso. "Parecía que se dirigía en esa dirección. Eventualmente, ella habría hablado."

Algunos de sus amigos sostienen que el día de su muerte, Elizabeth había ido a consultar con los dos santeros cubanos sobre el dilema que la atormentaba: si cooperar con la investigación o mantenerse callada. Poco tiempo después, los santeros cubanos fueron detenidos por la policía. Se trataba de Pedro Pablo Hernández, de profesión cocinero, y Pablo Machado, bailarín, ambos sacerdotes de la santería afro-cubana. Según fuentes policiales, el arresto había resultado de un hecho fortuito. Uno de los cubanos fue interrogado en una redada de rutina, y la policía había notado algo raro al escuchar que el hombre hablaba con acento cubano y mostraba documentos de identidad colombianos. Sospechando que se trataba de algún malhechor, un agente policial le había pedido que cantara el himno nacional colombiano. El cubano se quedó mudo, y fue arrestado.

Pero el arresto no sirvió de mucho. La policía se encontró con testimonios vagos y contradictorios. Según los dos santeros, habían conocido a Elizabeth en un vuelo de La Habana a Bogotá hacía pocos meses. Ella se había identificado con el nombre de Aurora, y les había presentado a su acompañante como su esposo. El día del asesinato, Elizabeth tocó el timbre del apartamento de los santeros hacia el mediodía, y uno de ellos le tiró las llaves por la ventana. Poco después, Elizabeth entró al apartamento con su acompañante. Machado, el bailarín, dijo que se había retirado a un cuarto durante la sesión de santería, "para no ser imprudente". Luego entró otro hombre al apartamento, presentándose como un funcionario de la fiscalía. El recién llegado sacó un arma y disparó contra la pareja. Los santeros salieron corriendo del apartamento, al cual nunca regresaron. Según ellos, Elizabeth prácticamente no había empezado a hablar cuando llegó su asesino. Lo que llevaba en la mente en ese momento era un misterio, aseguraron los dos cubanos.

Ahora, los investigadores barajan varias explicaciones sobre el asesinato. Podría tratarse de una venganza de un grupo de narcotraficantes rivales; un castigo por deudas que Elizabeth tenía con traficantes con los que hacía negocios; un crimen pasional, ya que la Monita había empezado una nueva relación después del arresto de su esposo; o una acción de la seguridad del gobierno para evitar que declarara ante la fiscalía. O podría haber sido una combinación de varios de los anteriores escenarios. Es decir, que alguien en el gobierno, aprovechándose de los problemas de la Monita con sus socios del mundo criminal, haya contratado o persuadido a sicarios del narcotráfico para asesinarla. Funcionarios del Departamento Administrativo de Seguridad (DAS), el equivalente colombiano del FBI, sostienen que hay 60 personas trabajando en el caso. En privado, admiten que hasta que los santeros cubanos se decidan a hablar –algo que podría estar en manos de los astros– difícilmente se sabrá si la Monita estaba dispuesta a denunciar al presidente.

"Pudo haber sido una cosa de drogas o un crimen pasional", me dijo uno de los funcionarios que investiga el caso. "Lo cierto es que fue una muerte muy conveniente para Samper".

En las mansiones de Elizabeth quedan pocos para especular sobre los motivos del asesinato. Sus siete guardaespaldas se dieron a la fuga apenas enterados del crimen, llevándose los lujosos automóviles de la víctima. Los cocineros, ayudantes y criadores de caballos se dispersaron sin dejar rastros. Sobre su antigua empleadora, sólo se enteraron por los diarios.

"Pensar que cada uno de sus 300 caballos de pura sangre valía como 1 millón de dólares", meditó en voz alta un amigo cercano de Elizabeth. "Y ella murió como una rata".

✍

Posdata: Casi dos años después de su muerte, el caso de la Monita continuaba sin resolverse. Medina publicó un libro en el que aseguró que Elizabeth tenía en su poder un video en el que aparecía Samper reunido con los jefes del cártel de Cali. El gobierno negó categóricamente la versión. El fiscal Valdivieso se retiró de su cargo para presentarse como candidato a las elecciones presidenciales de 1998, y la historia pasó al olvido.

Postal de Buenos Aires

BUENOS AIRES, Argentina, *Noviembre de 1994.* Esta ciudad, conocida por muchos como el París de América Latina, está más deslumbrante que nunca.

Tras dos años de no haberla visitado, no pude dejar de maravillarme por la proliferación de elegantes cafés al aire libre, restaurantes gourmet y tiendas de superlujo, que le dan a la ciudad un aura de opulencia que no se ha visto aquí en varias generaciones.

En el puerto de Buenos Aires, una serie de galpones abandonados –una reliquia de la época de oro de la Argentina de principios de siglo, cuando los barcos europeos se aglomeraban frente a los muelles para recoger sus cargas de carne y cereales– han sido convertidos en un espectacular boulevard de restaurantes denominado Puerto Madero.

A unas pocas millas de distancia, en el Parque de la Recoleta, lo que durante mucho tiempo fue un decrépito asilo estatal de enfermos mentales –y el foco de denuncias de horrendos actos de crueldad contra los pacientes– se ha convertido en el "Buenos Aires Design Center", un exclusivo paseo de boutiques de alta costura y restaurantes al descubierto.

No muy lejos de allí, el Teatro Colón, la ópera más conocida de América Latina, está pasando por un momento estelar:

últimamente ha presentado artistas de la talla de Luciano Pavarotti y Monserrat Caballé, y pronto traerá al elenco completo de la Scala de Milán –orquesta sinfónica, coro y estrellas de ópera incluidos.

Las calles están limpias, y por primera vez en años uno puede encontrar algún teléfono público que funciona. Muchos argentinos afirman con orgullo que los servicios públicos como la recolección de basura y los teléfonos han mejorado desde que fueron privatizados por el presidente Carlos S. Menem.

Los porteños, como se llaman los acicalados habitantes de esta ciudad, se visten impecablemente, como si estuvieran siempre listos para ir a un cocktail. Se reúnen y conversan animadamente en los restaurantes del centro de la ciudad hasta bien entrada la madrugada.

Uno de sus principales temas de conversación estos días es dónde pasar las inminentes vacaciones de verano. Los vuelos a Miami y la mayoría de los centros turísticos caribeños están repletos. Se calcula que más de 50,000 argentinos van a viajar al Caribe entre enero y marzo.

Sin embargo, detrás de este impresionante despliegue de opulencia se percibe un aire de nerviosismo. El actual resplandor de la capital argentina, lejos de constituir una evidencia de que este país ha recobrado su fulgor de antaño y está a punto de ingresar al Primer Mundo, bien podría ser una ilusión de grandeza.

Las drásticas reformas económicas de Menem han hecho milagros para modernizar la economía, reducir la inflación, y hacer que los créditos internacionales vuelvan a fluir a este país, pero todavía no se han traducido en mejoras visibles para la mayoría.

Quizá, las reformas económicas sean el precio que tiene que pagar este país para recobrar la confianza internacional tras décadas de populismo e irresponsabilidad financiera. Lo cierto es que, por ahora, los ricos se están haciendo más ricos, pero el número de pobres parece ser cada vez mayor.

Fuera de los elegantes restaurantes del centro de Buenos Aires se pueden ver mendigos, y los robos en las calles están en aumento. Muchos trabajadores ganan un salario promedio de 800 dólares por mes, y unos 800,000 jubilados deben arreglárselas para vivir con 150 dólares por mes en una de las capitales más caras del mundo. Para que se den una idea, la semana pasada pagué 2 dólares por un café expreso en un restaurante, 3 dólares por una lustrada de zapatos, y 8 dólares por lavar una camisa en una tintorería de barrio.

Gran parte del nerviosismo surge de interrogantes acerca del futuro: al contrario de otros países que han abierto sus economías al resto del mundo, como Chile y México, Argentina exporta muy poco. La mayoría de los ingresos del Estado durante el gobierno de Menem provenían de la venta de empresas estatales.

¿Qué ocurrirá cuando el gobierno se quede sin empresas estatales que privatizar?, se preguntan muchos argentinos con ansiedad. ¿De dónde va a salir el dinero?

Asimismo, hay denuncias bien documentadas de que hay una enorme corrupción en el entorno de Menem. Y el propio presidente no ayuda mucho a descalificarlas cuando gasta –según reportan los medios argentinos– 3 millones de dólares para remodelar su residencia presidencial, 16 millones para comprar un nuevo helicóptero presidencial, 66 millones para comprar un lujoso Boeing 757 para su uso, o colocando a ocho parientes suyos en puestos de gobierno.

Las primeras impresiones pueden ser engañosas. Buenos Aires está más deslumbrante que nunca, pero uno no puede dejar de preguntarse cuán real es su resplandor, o cuánto tiempo más durará.

✍

Cubanas de armas tomar

MÉRIDA, México, *Octubre de 1994.* Esta ciudad aferrada a sus tradiciones, donde las páginas sociales de los periódicos todavía publican las fotos de las damas de sociedad que viajan a la capital y los enamorados se sientan tomados de la mano en los bancos de las calles, se encuentra en estado de conmoción.

El flagelo que la afecta no es político ni social, sino sexual. Una invasión de exuberantes bailarinas cubanas ha puesto en vilo a la ciudad, hipnotizando al público masculino, causando protestas cada vez más enérgicas de amas de casa escandalizadas por los atrevidos modales de las visitantes, y provocando problemas gremiales con las artistas mexicanas que se quejan de una competencia desleal de las extranjeras.

Cientos de bailarinas cubanas, en su mayoría mulatas menores de 25 años, han estado llegando a esta ciudad en los últimos tres años. El régimen cubano, desesperado por divisas, comenzó a exportarlas a México con visas de seis meses, bajo un acuerdo por el cual los empresarios mexicanos entregan el total de los salarios de las artistas al gobierno de Cuba, y éste a su vez le paga a las bailarinas una pequeña fracción de los mismos. En otros países, este tipo de explotación sería denunciada como una forma de esclavitud. Pero en la jerga oficial de Cuba y México, este tipo de arreglos oficiales –que también se realizan con entrenadores deportivos cubanos– se conocen como "convenios de intercambio cultural".

Si bien muchas de las recién llegadas son bailarinas legítimas, y muy buenas, otras integran una categoría que algunos encumbrados miembros de la sociedad local califican de más nebulosa. Bailan en diminutos bikinis, similares a los de las bailarinas de cabaret, y causan verdaderos embotellamientos de tráfico cuando caminan por las calles con sus pantalones "tights" en una ciudad donde las mujeres suelen vestir holgadas túnicas blancas. Y lo que es peor, según aseguran sus críticos, muchas de las bailarinas se dedican a la prostitución después de horas.

Damas prominentes de la sociedad yucateca alegan que las cubanas están causando estragos en la vida matrimonial de la ciudad. "Nuestros jóvenes estaban acostumbrados a tener novias que se portaban como santas, con las que no tenían relaciones sexuales antes del matrimonio", me señaló, horrorizada, María Isabel Cáceres de Urzaiz, presidenta de la Asociación de Ex alumnas de la Escuela de las Hermanas Teresianas y columnista del *Diario de Yucatán*. "Luego llegaron estas cubanas, y nuestros hombres se volvieron locos".

Cáceres de Urzaiz dice que comenzó a preocuparse por la llegada de las bailarinas cubanas cuando el esposo de una vieja amiga, un hombre de la alta aristocracia de Mérida, se fugó con una de las mulatas, abandonando a su esposa e hijos. Desde entonces, afirma, se han producido otros tres casos similares, en que mujeres pertenecientes a las más prominentes familias yucatecas han visto a sus esposos huir del hogar en compañía de las provocativas cubanas, que apuran a los desprevenidos yucatecos a que se divorcien y se casen con ellas.

"Son rompedoras de hogares", afirma Cáceres de Urzaiz. "Quieren casarse para escapar de la difícil situación que atraviesan en su país. No se las puede culpar por querer irse de Cuba, pero el hecho es que están destruyendo la institución familiar entre nosotros".

Las quejas de las damas de la sociedad local están produciendo resultados. El mes pasado, el influyente *Diario de Yucatán* decidió dejar de publicar los anuncios de los cabarets en que trabajan las bailarinas cubanas. El director del periódico, Carlos Menéndez, me dijo que la decisión fue tomada porque "esas bailarinas están causándole un grave daño a la familia yucateca".

La fascinación de los hombres de Mérida por las mulatas cubanas ha llegado al punto de provocar episodios de violencia. En un reciente incidente ocurrido en un popular club nocturno, dos parroquianos desenfundaron sus armas y se cruzaron varios tiros tras pelearse por una de las bailarinas. Aunque no hubo muertes, el club ha sido cerrado por las autoridades desde entonces. La alcaldía de la ciudad está discutiendo si renovarle la licencia, en un debate que amenaza con transformarse en un referéndum sobre la presencia de las cubanas en esta ciudad.

Las bailarinas cubanas son la principal atracción de los clubes nocturnos de la ciudad. Basta ver las marquesinas de los cabarets, y los avisos en los periódicos. El restaurante Ciudad Maya, al no poder colocar sus avisos en el *Diario de Yucatán*, los publica en el *Novedades de Yucatán*, anunciando "Sabor Cubano, el mejor show cubano del momento".

Si bien hay otros grupos de bailarinas cubanas en otras ciudades mexicanas, Mérida, en la punta de la península de Yucatán, concentra el mayor número de ellas. Se trata no sólo de la ciudad mexicana más cercana a Cuba, sino también la que tiene la más larga historia de vínculos con la isla. A comienzos de siglo, había más miembros de la alta sociedad de Mérida que cursaban sus estudios superiores en La Habana que en la capital de México. Cuba quedaba más cerca, y sus universidades tenían mejor reputación. Con el correr de los años, la presencia de los estudiantes yucatecos en La Habana resultó en numerosos casamientos entre mexicanos y cubanas, y los lazos familiares pronto dieron lugar a un intenso tráfico comercial y cultural. Después de la revolución cubana de 1959, el número de estudiantes yucatecos en Cuba cayó en picada, pero la devoción de los mismos por las mujeres de la isla parece haber permanecido intacta.

Cuando las cubanas comenzaron a llegar a Mérida hace tres años, habían sido aceptadas por la alta sociedad de Yucatán. Sus espectáculos –al estilo Tropicana– eran más bien familiares, casi circenses. Pero cuando fueron llegando cada vez más bailarinas de la isla y el número de sus shows se multiplicó, el tamaño de los bikinis de las isleñas fue disminuyendo en relación inversa al aumento de la competencia, y se produjeron las primeras reacciones de protesta.

El año pasado, el exclusivo club campestre Cocoteros había programado invitar a uno de los grupos cubanos para actuar en una de sus fiestas. Pero el programa tuvo que ser suspendido tras una acalorada discusión de la junta directiva, según me confió uno de los asistentes. "Propusimos invitar al grupo bajo ciertas reglas: que llegaran tan sólo media hora antes, y abandonaran el salón inmediatamente después del show, sin mezclarse con el público", recordó el directivo de Cocoteros. "Pero nuestra iniciativa fue derrotada por otros miembros del consejo. Tenían miedo de que las bailarinas reconocieran a algunos de los hombres en el público, y les causaran un lío con sus esposas".

Como si estos problemas no alcanzaran, dirigentes sindicales mexicanos están protestando porque las artistas cubanas les están quitando empleos a sus pares mexicanas. Y denuncian que las bailarinas cubanas que se dedican a la prostitución en su tiempo libre le están dando una mala reputación a todas las profesionales de la danza. "Una manzana podrida puede arruinar toda la cosecha", me dijo Sergio Ríos, dirigente sindical de la Asociación Nacional de Actores en Mérida. "Creemos que muchas de ellas son mujeres decentes, pero las que no lo son, nos afectan a todos".

A pesar de su éxito, la vida no es fácil para las bailarinas isleñas. Como no son contratadas directamente por sus empleadores sino enviadas por el gobierno cubano mediante los "convenios de cooperación cultural", ganan mucho menos que las artistas mexicanas –otro motivo por el cual los empresarios mexicanos se pelean por contratarlas.

Una noche de esta semana, me fui a ver al conjunto de salsa cubano Azúcar en el restaurante El Tucho. En uno de los intervalos, me acerqué a una de las esculturales mulatas del show –las reglas de juego del lugar eran que ellas no podían acercarse a los hombres, pero podían estar paradas a la espera, según me enteré luego– y le pregunté cómo la estaba pasando en México. La muchacha actuaba seis noches a la semana en El Tucho, a eso de las siete de la tarde, y seis noches en el club nocturno X Tabay, a eso de las diez de la noche. Ambos cabarets eran de la misma empresa, que llevaba a las bailarinas de un lugar a otro, para dar la impresión de que cada uno de sus locales había contratado gran cantidad de conjuntos musicales. La joven me contó, apáticamente, que recibía unos 150 dólares semanales y alojamiento gratuito en un hotel de mala calidad. Era menos de la mitad de lo que ganaba una bailarina mexicana, pero quince veces más de un salario mensual en Cuba, que era de unos 10 dólares por mes.

"Tenemos que pagarnos las comidas, pero no nos podemos quejar: Todavía podemos ahorrar algún dinero para cuando regresemos a Cuba", me dijo la joven, con la mirada distraída. Y siempre quedaba la posibilidad de arrancar a un yucateco de su casa, y quedarse a vivir en México.

✍

Los venezolanos van a la meca

CARACAS, Venezuela, *Noviembre de 1993.* Cuando ya pensaba que los venezolanos habían dejado atrás la costumbre de derrochar sus petrodólares en todo lo que podían comprar en el exterior, alguien me hizo notar la última novedad en esta capital: viajes de "shopping" a Miami, saliendo por la mañana y regresando por la tarde, y con juegos de bingo en el avión para hacer la experiencia más memorable.

Una aerolínea venezolana ha iniciado un servicio de viajes de ida y vuelta a Miami por 120 dólares. Uno sale de Caracas por la mañana, hace sus compras en Miami y puede regresar a su casa a tiempo para la cena. Por unos pocos dólares más, uno puede salir por la tarde y regresar al otro día.

"Vaya a Miami y regrese el mismo día", proclaman los anuncios de la aerolínea Servivensa en los periódicos más importantes de Venezuela. "Los horarios de salida son a las 7 a.m., 10 a.m., 2 p.m. y 5 p.m".

Y esto no es todo, me dijo entusiasmado un editor amigo que me alertó sobre el nuevo servicio aéreo. Los pasajeros también pueden jugar al bingo durante el vuelo. Mi amigo me aconsejó adquirir un boleto lo antes posible, a causa de la gran demanda.

Antes de salir corriendo a comprar mi boleto en Servivensa, pasé por la oficina de Gustavo Márquez, un economista del Instituto de Estudios Superiores de Administración de Empresas.

¿Qué significa esto?, le pregunté a Márquez. ¿Estamos de nuevo en la época de la bonanza petrolera de principios de la década de los ochenta, cuando los venezolanos eran conocidos en Miami como los "Damedos", porque compraban dos de cada producto que querían?

¿Acaso no estaba pasando Venezuela por una crisis? ¿No habían botado los venezolanos al presidente Carlos Andrés Pérez en medio de protestas masivas de que sus medidas de austeridad económica eran demasiado fuertes? ¿No estaban pronosticando los encuestadores un voto de protesta contra la política de apertura económica en las elecciones del 5 de diciembre?

Claro, dijo Márquez, Venezuela estaba en crisis. Se habían implementado profundas medidas de austeridad, incluidos drásticos recortes a los subsidios de productos alimenticios, pero estas medidas habían afectado principalmente a los pobres. La clase media y los ricos, para quienes un aumento en el precio de la comida no era una tragedia, estaban pasando un buen rato, explicó el economista.

Márquez me reveló que un reciente aumento en el precio del petróleo le había permitido a Venezuela mantener su moneda sobrevaluada y convertir al dólar norteamericano en una divisa barata. De esa manera, resultaba sumamente barato para los venezolanos viajar al extranjero.

Actualmente, hay 13 vuelos diarios entre Caracas y Miami, que transportan a más de 50,000 venezolanos al mes, o unos 600,000 al año, a la ciudad de la Florida. El costo de los pasajes no constituye un problema para estos viajeros. Aun después de los aumentos decretados por el gobierno, los precios de la gasolina son ridículamente bajos comparados con los de otros países: 24 centavos de dólar el galón. Los venezolanos se enojan cuando les cobran más de 4 dólares para llenar el tanque.

"Los días del despilfarro aún no han terminado", dijo Márquez. "Hablamos muchísimo de medidas de austeridad, pero nada ha cambiado".

Picado por la curiosidad, tomé el vuelo de Servivensa el viernes al mediodía. No había un solo asiento libre. Los pasajeros rebosaban de entusiasmo, y se visitaban unos a otros desde todos los rincones del avión, para desgracia de quienes nos encontrábamos en su camino y debíamos encoger las piernas continuamente para dar paso a los más hiperactivos. "¡Magalis!", gritaba una señora desde los asientos traseros. "¡Tais!", respondió una vecina mía, mientras se daba vuelta para montarse con las rodillas sobre su asiento y seguir la conversación con su amiga.

Al rato, una azafata pasó con su carrito por el pasillo, ofreciendo bebidas alcohólicas gratuitas. Había whisky, licor de café y gin. Los pasajeros, de por sí animados, pronto se mostraron más alegres aún. Tras unas dos horas de viaje, la azafata tomó el micrófono del avión para anunciar que en pocos minutos comenzaría el juego de bingo.

"Damas y caballeros, vamos a comenzar nuestro juego de Aerobingo", dijo. "Por favor, levanten la mano los que quieran jugar. El precio es de 5 dólares el cartón, y pueden ganar un pasaje de ida y vuelta a Miami". Alrededor de dos docenas de personas levantamos la mano. Una de las azafatas pasó por los asientos repartiendo los cartones y cobrando el dinero, mientras otra colocaba una mesita con el bolillero delante de la cabina del piloto. Cuando todo estuvo preparado, la azafata comenzó a sacar los números ganadores.

"¡G-55!", comenzó, provocando murmullos entre los pasajeros.

"¡D-22!", continuó. A medida que cantaba más números, aumentaba el volumen de las reacciones de la audiencia. Cuando los cartones estaban a medio llenar, se escuchaban cada vez más gritos de "¡Sííí!" y "¡Chévere!" en varios puntos del avión.

Pocos minutos después, un pasajero saltó de su asiento. "¡Bingo!", gritó el hombre en la parte trasera del avión. "¡Lo tengo!" Todo el avión aplaudió, mientras sus amigos le daban palmaditas en la espalda. El orgulloso ganador caminó hasta el frente y recibió su vale por un pasaje gratis. Las azafatas contemplaban la escena sonrientes. Según me enteré luego, tenían un acuerdo laboral con la empresa, mediante el cual se quedaban con todas las ganancias del "Aerobingo", que había sido ideado como una forma de engrosar sus magros salarios.

Cuando el avión aterrizó en Miami, todo el mundo aplaudió. La mujer sentada a mi lado se levantó y comenzó a caminar hacia la salida, mientras la nave todavía carreteaba en la pista camino a la terminal. La señora buscaba un lugar privilegiado para salir del avión a toda carrera. Pocos minutos antes, me había comentado que el Mall de las Américas, el centro comercial donde pensaba hacer sus compras, cerraba a las ocho de la noche. Ya eran las cinco de la tarde, y la mujer quería salir de los trámites migratorios a tiempo para llegar a la tienda antes de que cerrara. Necesitaba aprovechar cada segundo para terminar sus compras a la mañana siguiente, y poder tomar el vuelo de regreso a mediodía. Estaba como poseída. Mirándola, me vino a la mente una frase que había escuchado en algún lugar: en Miami, las cosas compran a la gente.

Los demás pasajeros pronto siguieron sus pasos, con el mismo entusiasmo. Habían llegado a Miami, la meca de los venezolanos. Bingo.

✍

Long live México

CIUDAD DE MÉXICO, México, *Octubre de 1993*. Es domingo por la tarde, y los pasillos del gigantesco centro de compras Perisur de esta ciudad están repletos de gente. Los padres de familia se pasean en sus trajes de jogging Adidas y zapatillas de tenis Reebok, mientras sus mujeres devoran con la mirada las vidrieras donde están expuestas las últimas prendas sport recién llegadas de Estados Unidos.

Mientras caminan, algunos llevan en la mano una Coca-Cola, en vasos de cartón con el emblema de McDonald's. Otros van comiendo papitas chips de Cheerios, mientras sus niños corretean por todos lados, tratando cada tanto de arrastrar a sus padres a las salas de juegos de video. Por los altoparlantes de los corredores se escucha el último hit de Willie Nelson, el astro del country music del país del norte.

¿Se está norteamericanizando México? Ésta es la gran pregunta que se hacen los mexicanos en momentos en que se está debatiendo el plan para firmar el Tratado de Libre Comercio (TLC) de América del Norte. De ser aprobado por el Congreso norteamericano, el tratado entrará en vigor el primero de enero del año entrante.

Muchos mexicanos temen que, si el tratado se aprueba, este país terminará siendo un apéndice de Estados Unidos. Como ejemplo de lo que puede ocurrir, mencionan escenas como la de un domingo por la tarde en el shopping center de Perisur, que según algunos es un símbolo perfecto del enorme cambio cultural que se está dando en este país.

"Las familias mexicanas solían reunirse los domingos por la tarde en casa de los abuelos, con los tíos, primos y los niños de todos", me señaló Guadalupe Loaeza, la conocida escritora y crítica social, en su casa de esta ciudad. "Ahora van a los malls, como en Miami". Para Loaeza, no hay mucho que festejar en esta nueva costumbre de los mexicanos de pasarse el fin de semana en las tiendas. "Estamos importando el modo de vida norteamericano, que está destruyendo nuestras mejores tradiciones, como la unidad familiar", se lamentó la escritora.

Éstos no son asuntos triviales en México, un país cuyo pueblo no deja de recordar constantemente a los visitantes la pérdida de gran parte de su territorio a manos de Estados Unidos en el siglo pasado. Desde la revolución mexicana de 1910-1917, la política, la literatura y las artes mexicanas han estado impregnadas por una fuerte dosis de antiyanquismo. Esto es en parte una reacción lógica contra el país que ha usurpado una buena parte del territorio nacional, pero también se debe a décadas de propaganda oficial, impulsada por un partido gobernante que se ha amparado en la retórica "revolucionaria" para perpetuarse en el poder en nombre de su supuesta defensa de los valores nacionales.

Sin embargo, hay datos que parecen demostrar que la creciente influencia norteamericana en los últimos cinco años ha comenzado a minar el antinorteamericanismo de los mexicanos. Según algunas encuestas, cada vez más mexicanos están abrazando con entusiasmo la idea de un acercamiento mayor a Estados Unidos. Un estudio realizado el año pasado por la revista mensual *Este País* concluyó que el 51 por ciento de los mexicanos tiene una opinión favorable de Estados Unidos, en comparación con 37 por ciento en 1988.

Aunque la influencia norteamericana se ha hecho sentir en México desde hace décadas, se ha vuelto más visible desde que el presidente Carlos Salinas de Gortari tomó posesión del cargo en 1988. Desde el comienzo de su presidencia, Salinas permitió la importación de cada vez más productos del país del norte, en un esfuerzo por aumentar la competitividad y reducir los precios de los productos nacionales.

Muy pronto, la importación de productos norteamericanos se convirtió en una avalancha. Los supermercados de la capital fueron prácticamente inundados de productos *made-in-USA*. Y los centros comerciales como Perisur comenzaron a transformar la geografía urbana del país. Al principio, las grandes tiendas fueron erigidas en las afueras de las ciudades. Luego vinieron las tintorerías y los drugstores, que se construyeron a su lado. Pronto, se construyeron nuevas urbanizaciones alrededor de los flamantes centros comerciales. Así como las catedrales e iglesias habían sido en el pasado el centro de las ciudades mexicanas, los centros comerciales se han convertido en el eje alrededor del cual se erigen los nuevos barrios residenciales. Igual que los suburbios en Estados Unidos.

Posteriormente, Salinas autorizó a las compañías norteamericanas a abrir sucursales en México. Grandes rótulos de neón de McDonald's, Burger King, Arby's, Kentucky Fried Chicken, Subway y Domino's Pizza empezaron a aparecer casi de la noche a la mañana en las principales avenidas del país. Las cadenas de fast-food norteamericanas se convirtieron en un éxito inmediato. Incluso en las ciudades más tradicionales, como Guadalajara, donde la vida social hasta hace poco giraba en torno a la misa del domingo y el paseo por la plaza central, los restaurantes de comida rápida son los nuevos lugares "in". Su repentina popularidad ha desplazado algunas costumbres centenarias, que muchos definían como parte del ser mexicano. Por ejemplo, los cumpleaños de los niños en sus casas, y las piñatas que allí tenían lugar, parecen condenados a convertirse en cosa del pasado.

"Es triste decirlo, pero mis hijos no quieren hacer su fiesta de cumpleaños a menos que la hagamos en McDonald's", me contó con melancolía Zaida Frías, una madre de tres niños en Guadalajara. "La tradición de la piñata se está muriendo, porque la mayoría de los McDonald's no las tienen".

En total, más de 170 empresas extranjeras –la mayoría de ellas norteamericanas– han abierto sucursales en México en los últimos dos años. Tan sólo McDonald's tiene planeado abrir 300 restaurantes en el futuro próximo. Y en lo que constituye una herejía ante los ojos de los mexicanos más nacionalistas, hace poco se produjo el debut en plena capital de Taco Bell, la cadena norteamericana de comida mexicana. Aunque los mexicanos no se han lanzado masivamente a devorar los tacos de la empresa norteamericana, quién sabe, quizá sea cuestión de tiempo.

"Es el colmo", me había dicho medio en broma Carlos Monsiváis, uno de los más brillantes analistas sociales de la izquierda mexicana, cuando conversábamos sobre la apertura del primer Taco Bell en la Ciudad de México. "Que nosotros comencemos a importar tacos es como si la gente de Alaska comenzara a importar hielo".

Hasta los mexicanos que comen en sus casas están cambiando sus hábitos alimenticios. En muchas familias de clase media, las tortillas de maíz, la comida típica mexicana desde los días de los aztecas, están siendo reemplazadas rápidamente por el pan, un producto hasta hace poco casi exótico en este país.

"En casa, mi esposo y yo seguimos comiendo tortilla todos los días, pero mis hijos ni las tocan", me dijo Frías mientras caminábamos por el centro de Guadalajara. "Lo único que quieren es sandwiches".

Algunos mexicanos de clase trabajadora también están abandonando su dieta de frijoles y tortillas de maíz, para comer pan. Según algunos expertos, esto está disminuyendo su nivel de proteínas. Un informe publicado el año pasado por el periódico *Unomásuno* citó a expertos según los cuales el consumo de frijoles disminuyó 43.3 por ciento en la última década, y el de tortillas de maíz casi un 2 por ciento, a pesar del crecimiento de la población.

Según Monsiváis, la influencia norteamericana está yendo mucho más allá de los hábitos de consumo. El año pasado, el escritor notó con asombro cómo, por primera vez, niños disfrazados comenzaron a golpear la puerta de su casa pidiendo golosinas en la noche de Halloween. Gran parte de la capital mexicana estaba celebrando la tradicional noche de brujas, una costumbre norteamericana que hasta hace poco tiempo era prácticamente desconocida aquí.

A medida que el Halloween gana cada vez más adeptos, la tradicional celebración mexicana del 2 de noviembre, el Día de los Muertos, está desapareciendo. Tanto es así, que el gobierno mexicano ha comenzado a intervenir para mantenerla viva con actividades patrocinadas por el Estado. "Las tradiciones mexicanas están cada vez más confinadas a los museos: cuando el gobierno y los antropólogos tienen que meterse para proteger el Día de los Muertos, es una señal de que ya es demasiado tarde", reflexiona Monsiváis.

Hasta el idioma está sufriendo los embates de la norteamericanización. El uso del spanglish –la improvisada combinación de español e inglés– se está difundiendo desde las ciudades fronterizas del norte hacia el resto del país. En varias ciudades del norte, he escuchado adolescentes intercalando frases como "Give me a break!" en sus conversaciones en español. ¿De dónde sacan estas expresiones coloquiales del inglés gringo? No hay que ser un estudioso de la lengua para saber la respuesta: de la televisión por cable de Estados Unidos, que está entrando en cada vez más hogares mexicanos.

Con todo, la mayoría de los intelectuales mexicanos, incluso muchos que se sitúan en la izquierda, no condenan de plano la creciente influencia cultural norteamericana. Casi todos admiten que la misma está trayendo consigo muchas cosas buenas, como un creciente pluralismo ideológico. Para la élite oficial "revolucionaria" que ha gobernado este país desde comienzos de siglo, se hace cada vez más difícil mantener al pueblo en la ignorancia sobre lo que está ocurriendo en su país y el mundo. A muchos de sus integrantes se les hace más difícil seguir robando a cuatro manos, bajo el pretexto de ser los guardianes de la nacionalidad. La televisión, y una prensa escrita cada vez más pendiente de opiniones no oficiales, están cambiando el rostro del país.

"Aunque todavía hay una enorme concentración de poder, México se está volviendo una sociedad más pluralista y democrática", me dijo Monsiváis. "Hay una creciente reacción contra el despotismo, una cada vez mayor apertura a nuevas ideas".

Y tampoco es cierto que todas las costumbres mexicanas se estén perdiendo de la noche a la mañana. Algunas, como los horarios de trabajo, parecen haber sobrevivido los embates de la cultura norteamericana. Los mexicanos siguen teniendo comidas de hasta tres horas de duración, y continúan trabajando hasta bien entrada la noche. En esta capital, el día típico de un burócrata comienza con un desayuno de las 8:30 a las 10 de la mañana, sigue con un par de horas en la oficina, y una comida de 2:30 a 5:30 de la tarde, lo más ajeno imaginable al "quick business lunch" de los norteamericanos. Luego, los mexicanos regresan a sus despachos, donde permanecen hasta por lo menos las ocho de la noche.

Monsiváis, como muchos otros, no pierde el sueño por el impacto a largo plazo del "American way of life" en su país. Cree que México terminará absorbiendo las nuevas influencias, y transformándolas en algo nuevo, con sabor autóctono, como lo ha hecho tantas veces a lo largo de su historia.

"Vamos a terminar mexicanizando estas costumbres", me dijo, con una sonrisa optimista. "Este país ha sobrevivido varios ciclos de norteamericanización, y continúa teniendo una sociedad claramente reconocible".

Lo que es más, algunos llegan a vaticinar que si alguien debe preocuparse por el impacto cultural del libre comercio, debería ser Estados Unidos. Las costumbres mexicanas están penetrando más rápidamente en Estados Unidos que viceversa, dicen, por el simple motivo de que hay muchos más mexicanos en territorio norteamericano que al revés. Con el tiempo, los mexicano-americanos se están adentrando cada vez en la sociedad norteamericana, llevando su cultura consigo. El año pasado, por ejemplo, las salsas picantes mexicanas sobrepasaron al *ketchup* como el condimento más vendido en Estados Unidos, según Packaged Facts, una firma neoyorquina de investigaciones de mercado. Y aunque muchos McDonald's en México todavía no hacen piñatas, algunos McDonald's en Los Ángeles están comenzando a promocionarlas como gancho para que los mexicano-americanos hagan allí sus fiestas infantiles.

Quizá los optimistas tengan razón, y a largo plazo los mexicanos terminen ganando la batalla, dejando profundas huellas en la sociedad norteamericana. Pero caminando por el *shopping center* de Perisur, y mirando a las parejas de mexicanos caminando con sus trajes de *jogging* Adidas, no puedo dejar de pensar que Estados Unidos está ganando el primer *round*. En lo bueno y en lo malo.

✍

Posdata: Cuatro años después de escrito este artículo y de la entrada en vigor del tratado de libre comercio, los mexicanos siguen tan orgullosos de su nacionalidad como antes. Una encuesta del periódico *Reforma* y la Universidad de Michigan reveló que en 1997 un 74 por ciento de los mexicanos se declararon "muy orgullosos" de su nacionalidad, contra un 56 por ciento que se definieron así en 1990.

Final de una larga noche

PUERTO PRÍNCIPE, Haití, *Octubre de 1993*. El Consejo de Seguridad de las Naciones Unidas acababa de ordenar un bloqueo naval de este país, para presionar al líder militar Raoul Cedras a que abandone el poder y permita el regreso del ex presidente Jean-Bertrand Aristide. Seis destructores de la Marina de Estados Unidos estaban en camino hacia aquí, y debían arribar a costas haitianas en cuestión de horas. Las calles de Port au Prince estaban casi desiertas, después de varios días de actos de intimidación a la población por parte de los grupos de choque del gobierno militar. Algunas embajadas habían aconsejado a sus nacionales salir del país "a la mayor brevedad". La invasión norteamericana era inminente.

Sin embargo, el clima reinante en el principal casino del país más pobre del hemisferio este sábado por la noche, horas antes de iniciarse el bloqueo naval, era de absoluta normalidad. Me había dirigido al exclusivo casino El Rancho cerca de la medianoche, para husmear el ambiente. Por lo menos allí, no había indicio alguno de que Haití estaba en un estado de pánico generalizado.

Más de 200 personas elegantemente vestidas estaban apiñadas alrededor de cinco mesas de blackjack y tres de ruleta. El salón estaba decorado en un estilo futurista de los años setenta, con grandes canteros llenos de plantas en todos lados. Las meseras paseaban por la sala ofreciendo cigarrillos y habanos que llevaban en una tablita colgada al cuello. Muchos jugadores que no apostaban en las mesas se encontraban de espaldas al centro de la sala, en las casi 50 máquinas tragamonedas colocadas contra las paredes. Una sección del casino reservada para socios especiales, que había sido inaugurada hacía sólo una semana, estaba repleta. El pequeño salón, con paredes revestidas de espejos, tenía dos mesas de blackjack en las que las apuestas comenzaban en 50 dólares, me dijo uno de los flamantes socios de la sección, con orgullo patriótico.

"El negocio va muy bien, a pesar de la situación política", me comentó el gerente del casino, Tony Duran, sonriente, desvirtuando las informaciones internacionales en el sentido de que el bloqueo naval acordado por las Naciones Unidas había asestado un golpe mortal a la economía haitiana. "Antes administraba un casino en Antigua, y no ganábamos la mitad de lo que ganamos aquí."

Una mujer sentada a una mesa de ruleta, adivinando que yo era extranjero, me preguntó con gentil curiosidad por qué no había salido de Haití, como tantos visitantes lo habían hecho en las últimas horas. La mujer estaba furiosa con las Naciones Unidas y el presidente Clinton por haber impuesto el embargo petrolero contra Haití. ¿Qué derecho tenían a obligar a los militares haitianos a permitir el regreso de Aristide? ¿Por qué no dejaban a Haití en paz? ¿Por qué no se ocupaban de sus propios problemas?

"Clinton está totalmente loco", me dijo en buen inglés la mujer, que se presentó como Rosemary, y obviamente pertenecía a la nueva élite cívico-militar haitiana. "¿No sabe usted que Aristide es un comunista? ¿No sabe que cuando Aristide estaba en el poder, se dedicó a atacar a todos los que tenían algo de dinero?

"Aristide no le dijo al pueblo que debíamos trabajar juntos para atraer inversiones, construir más fábricas y crear más empleos: le dijo a la gente que debían quitarles el dinero a los ricos", continuó Rosemary. "Si no fuera por los militares, a muchos de nosotros nos hubieran asesinado".

Apreté los labios, y moví la cabeza hacia ambos lados, en un gesto de escepticismo. Si así fuera, ¿por qué el 67 por ciento de la población había votado por Aristide en las elecciones de 1990?, pregunté. ¿Y por qué prácticamente toda la gente pobre con la que había conversado en las calles en los últimos días parecía deseosa de que regresara Aristide al poder?

"Porque Aristide les está diciendo lo que ellos quieren escuchar", respondió Rosemary, enojada. "Les está diciendo que deben matar a los que tienen dinero".

Parado junto a ella, un hombre de unos 40 y tantos años que se presentó como Lionel asintió con la cabeza. Lionel dijo que nosotros, los extranjeros, no entendemos que el 85 por ciento de la población haitiana es analfabeta, y que el 67 por ciento de los votos que recibió Aristide vinieron "de gente que no puede analizar lo que pasa en el país".

"Esta gente no tiene lógica", dijo Lionel. "Lo siguen sólo porque dice defender a los pobres. Pero en realidad, lo que quiere Aristide es venganza, y a los pobres les encanta eso".

Intrigado, le pregunté a los cuatro hombres sentados junto a Rosemary y Lionel en la mesa de ruleta si estaban de acuerdo con ellos. Los cuatro asintieron, con argumentos parecidos.

Minutos más tarde, uno de ellos me siguió hasta el bar. Parándose al lado mío y sin abandonar su sonrisa, me susurró al oído que "esta gente con quien usted estaba hablando eran todos

Tonton Macoutes", simpatizantes de la temida policía secreta del ex dictador Francois Duvalier. Los ricos de Haití y sus cómplices militares vivían en la negación, me dijo el hombre, mirando cada tanto hacia ambos lados como para asegurarse de que nadie lo estaba escuchando.

El drama de Haití era que tenía la clase empresarial con menos conciencia social del mundo, continuó. Los ricos siempre habían financiado a los generales golpistas para proteger sus contratos con el gobierno y sus monopolios comerciales. Por eso, Haití era una cleptocracia, un gobierno de ladrones. Esa gente con la que acababa de hablar no quería aceptar la realidad. La mayoría de los haitianos estaban desesperados por un cambio, decía.

Salí del casino a eso de la 1:30 a.m. La mayoría de los jugadores todavía estaba haciendo sus apuestas, sin mayores preocupaciones por la flota de guerra que se acercaba a la costa. Los clientes del casino no parecían tener mayor prisa por marcharse. El repiqueteo de las fichas contrastaba con el silencio de la noche en las calles de la ciudad.

El domingo por la mañana, los primeros destructores enviados por Clinton empezaron a divisarse desde tierra firme, listos para el desembarco. Pero Rosemary, Lionel y sus amigos probablemente no los vieron. Estarían durmiendo, tras una larga noche de juego en el casino.

✍

Posdata: Seis buques de guerra de Estados Unidos se apostaron esa mañana frente a las costas haitianas, para implementar el bloqueo de las Naciones Unidas. El gobierno militar haitiano no cedió a las demandas de la comunidad internacional, y una fuerza multinacional encabezada por tropas norteamericanas lo destituyó en septiembre de 1994. Aristide regresó al país el 15 de octubre de 1994. La salud de la democracia haitiana continúa endeble, pero no ha habido una ola de violencia contra los ricos, como lo habían vaticinado los simpatizantes del gobierno militar.

La isla y el dólar

CIUDAD DE MÉXICO, *Agosto de 1993.* En uno de mis últimos viajes a Cuba, antes de terminar de escribir *La hora final de Castro* (y de convertirme en persona *non grata* para el régimen cubano), un profesor universitario de La Habana me comentó que para sobrevivir en Cuba "va a hacer falta mucha FE". Ante mi asombro frente a este presunto arranque de religiosidad por parte de un hasta hace poco convencido marxista, me aclaró con una sonrisa: "FE, chico... Familia en el Exterior".

Más de un año después, la profecía del académico se está convirtiendo en realidad: la economía cubana está tocando fondo, y al régimen de Fidel Castro no le queda más remedio que legalizar la tenencia de dólares por parte de la población a la espera de captar millones de dólares en ayuda humanitaria de los familiares en el exterior. Para sobrevivir en Cuba hará falta mucha FE.

La medida, que Castro sugirió por primera vez el 29 de junio en un discurso ante la Asamblea Nacional y fue confirmada un mes después por el vicepresidente del Consejo de Estado Carlos Lage, podría ayudar a detener temporalmente el colapso económico de Cuba, pero se convertiría al mismo tiempo en el mayor riesgo político asumido por el régimen desde la revolución de 1959.

Mientras desaparecen silenciosamente los carteles de "¡Socialismo o Muerte!" que hasta hace poco cubrían las calles de La Habana, Castro pidió en su discurso ante la Asamblea "mucha sabiduría y realismo" para poder vencer la actual crisis económica, señalando que "con un campo socialista destruido, donde hemos perdido miles de millones, yo creo que tenemos derecho a inventar cosas para sobrevivir en estas condiciones ..." Pocos días después, Radio Rebelde admitía, lacónicamente: "Muchos piensan que algunas medidas a adoptar conspiran contra la pureza de los principios y que van a tener un costo político demasiado alto. Es innegable que hay cierta verdad en ello".

Mediante la legalización del dólar, Castro espera captar parte de los más de 300 millones de dólares que actualmente guardan bajo el colchón los cubanos y gastan para comprar bienes en el mercado negro. A partir de julio, se han abierto en Cuba las primeras "diplotiendas" para cubanos, donde por primera vez pueden entrar los residentes de la isla y comprar con dólares. Estas tiendas, ahora reservadas a unos pocos cubanos que pueden recibir dólares –como meseros y funcionarios de empresas mixtas– se extenderían pronto a toda la población. De esta manera, el Estado trataría de reemplazar al mercado negro como el principal vendedor de numerosos bienes de consumo, y se quedaría con las ganancias.

Lo que es más importante, los economistas cubanos esperan que la legalización del dólar resulte en una avalancha de dólares de Miami. El régimen cubano estima que los exiliados cubanos enviarán entre 600 y 1,000 millones de dólares anuales a sus familiares en la isla. Esto le permitiría a Cuba detener la creciente escasez de alimentos y medicinas, y calmar temporalmente las necesidades mínimas de consumo de una juventud cada vez más ansiosa por insertarse en el mundo occidental.

A Castro no le queda más remedio que jugarse esta última carta –los dólares del exilio– para detener la caída en picada de la economía cubana. Los ingresos externos de Cuba han caído de 8.2 mil millones de dólares en 1989 a 2.2 mil millones en 1992, según cifras del propio gobierno. El año en curso promete ser peor, especialmente después de que Cuba se viera obligada recientemente a suspender por una temporada sus exportaciones de azúcar, por sufrir la peor zafra de los últimos treinta años. Según funcionarios locales, Cuba probablemente perderá hasta 500 millones de dólares en ingresos azucareros este año.

En las calles de La Habana, la crisis se hace cada vez más dramática. Hace pocas semanas, el régimen anunció que habrá cortes de luz de diez horas diarias debido a la escasez de petróleo. La epidemia de neuritis óptica, vinculada a la deficiencia en la alimentación de los cubanos, ya ha sobrepasado las 40,000 víctimas, según organismos internacionales. Cada vez más cubanos en la isla afirman haber perdido varios kilos de peso en los últimos meses.

Las medidas económicas anunciadas –de implementarse– no tardarán en tener un enorme impacto social. Al autorizar la tenencia de dólares, el régimen se verá obligado por primera vez desde la revolución a tolerar que amplios sectores de la población sean económicamente independientes, y por lo tanto más inmunes a los mecanismos de control político del Estado. Se trataría de un hecho fundamental, ya que el principal instrumento de control gubernamental ha sido su dominio de todas las fuentes de empleo del país.

Cuando los 3.5 millones de trabajadores cubanos tenían un solo empleador –el Estado– al gobierno le resultaba relativamente fácil coercionar a oficinistas a pasarse un mes cortando caña en el campo, delatar a sus vecinos o asistir a los discursos de Castro en la Plaza de la Revolución. Sin embargo, cuando estos mismos trabajadores dejen de depender del Estado para su subsistencia –y lo reemplacen por los dólares de sus familiares de Miami– el régimen perderá su control absoluto sobre numerosos cubanos. La independencia económica, como se ha visto en la ex Unión Soviética, lleva casi siempre a una mayor independencia política.

¿Qué ha llevado a Castro a tomar medidas que hasta ahora había tildado de horrores del vil capitalismo? El empeoramiento de la crisis cubana y la posibilidad de reacciones populares contra el régimen le han hecho entender lo que sus economistas le vienen diciendo hace tiempo: que su anterior estrategia de supervivencia política y económica estaba destinada al fracaso.

Tras la caída del Muro de Berlín, Castro juró que preservaría a Cuba como el último bastión del Comunismo Mundial, y que su país se convertiría en líder de un nuevo mundo posmarxista. "Nuestro deber más sagrado es salvar la patria, la revolución y el socialismo", señaló. "El destino nos ha convertido en abanderados del movimiento revolucionario... del mundo".

Castro había levantado la alicaída bandera del marxismo en 1990 para no dar señales de debilidad, y para no permitir una apertura que podría amenazar su régimen. Pensaba que las torpezas de la política norteamericana hacia Cuba –que son muchas– le bastarían para justificar ante el mundo la negación de los derechos civiles en Cuba.

La estrategia de supervivencia económica de Castro consistía en crear dos islas de eficiencia capitalista –el turismo y la biotecnología– dentro de la economía socialista. Estos islotes tendrían la ventaja de generar dólares y de no contaminar políticamente a la sociedad. El plan se basaba en evitar a toda costa la independencia económica de grandes sectores de la población. Según el plan, estos dos enclaves de capitalismo generarían suficientes recursos como para mantener el resto de la economía a flote.

De manera que a comienzos de los noventa, Cuba salió a vender sus playas, sus hoteles y sus mujeres en campañas publicitarias en América Latina y Europa, olvidando rápidamente los sermones de Castro sobre los horrores que el turismo había llevado a Cuba en la época de Batista. Autobuses repletos dc turistas mexicanos, brasileños y argentinos –casi todos miembros de una clase media frívola que había pretendido no ver las violaciones a los derechos humanos durante los regímenes militares en sus países, y que ahora pretendía no verlas en Cuba– comenzaron a recorrer las calles semidesiertas de La Habana. Se comenzó a tolerar la prostitución –hoy día, probablemente la más económica de América Latina– y a prohibir a los cubanos que entraran en los hoteles exclusivos para extranjeros. El apartheid turístico –que existía de hecho durante la dictadura de Batista– se convirtió en la nueva política oficial de la revolución. El régimen necesitaba sobrevivir en estos tiempos difíciles, señalaba Castro. Business is business.

La biotecnología, según el plan de Castro, tendría la doble ventaja de generar divisas y mantener la imagen externa de un país tercermundista exitoso, donde el socialismo habría logrado enormes avances científicos y técnicos. Cuba salió a vender sus productos –principalmente una vacuna para la Hepatitis B– con el argumento de que poseía la mano de obra científica más barata del mundo.

La estrategia, tal como lo señalé en mi libro, estaba destinada al fracaso. Ya entonces, un economista de un instituto del Comité Central del Partido Comunista me había señalado que de nada serviría crear islotes de eficiencia dentro de una economía ineficiente, porque sería "como tirar las ganancias de estos enclaves capitalistas en un barril sin fondo del resto de la economía". En otras palabras, la eficiencia de los enclaves capitalistas no bastaría para cubrir las ineficiencias del resto de la economía socialista. El economista tenía razón: después de tres años de enormes esfuerzos, el turismo y la biotecnología juntos no alcanzaron a generar en 1993 el diez por ciento de los ingresos externos de Cuba en 1989.

Ahora, Castro se ve obligado a abandonar sus últimos pruritos comunistas y a expandir los enclaves de economía de mercado. Admite que debe reducir el gasto social del que Cuba se vanagloriaba en la época de los masivos subsidios del bloque socialista y sugiere que Cuba podría abrir las puertas al flujo de dólares de Miami.

¿Cuáles serían las consecuencias políticas de las medidas anunciadas? Entre otras:

• Deserción laboral masiva. La economía cubana, ahora prácticamente en su totalidad en manos del Estado, se desplomará aún más rápidamente. La deserción laboral que comenzó hace tres años, cuando se recortaron las meriendas gratuitas en los comedores obreros y comenzaron los problemas de transporte, se agudizará.

Un trabajador promedio en Cuba gana unos 200 pesos mensuales, o el equivalente a 3 dólares en el mercado negro, lo suficiente para comprarse un pollo. Si ese trabajador comienza a recibir 50 dólares mensuales de su hermano en Miami y puede usar esos dólares para comprar alimentos legalmente en cualquier supermercado, ¿para qué se va a molestar en ir a trabajar?

Decenas de miles de cubanos ya han llegado a la conclusión de que no vale la pena y han abandonado sus puestos de trabajo alegando enfermedades o falta de transporte público. Muchos más lo harán cuando comiencen a recibir dinero de Miami.

• Inversión del sistema de privilegios. En la nueva Cuba dolarizada, los "desafectos" se convertirán en la nueva clase privilegiada y los "revolucionarios" en los parias de la revolución.

Quienes tendrán dólares serán los que tienen familiares en Miami, que son generalmente los sectores más desafectos al régimen. En cambio, los "integrados", aquellos cuyas familias se mantuvieron incólumes al lado de Castro durante tres décadas, repudiaron a sus amigos que se exiliaron en Miami y siguen en sus puestos laborales ganando en pesos cubanos, serán el hazmerreír de sus vecindarios. ¿Cómo hará el régimen para evitar que este trastrocamiento del sistema de privilegios mine su propia base política?

• Pérdida de control político sobre la población. Los mecanismos de control político del régimen, como señalamos antes, pasan por la dependencia total de cada cubano del Estado. Hasta ahora, el Estado era el único empleador y el único proveedor. Con la dolarización, habrá cada vez más sectores económicamente independientes.

Un amigo cubano me lo explicó así: "Si tú trabajas para el Estado y te golpea la puerta la encargada del Comité de

Defensa Para la Revolución de tu cuadra para pedirte que vayas a un acto público de Fidel, tú vas. Pero si trabajas para una empresa extranjera o recibes tus dólares de Miami, te puedes dar el lujo de no ir. Ya no dependes del sistema".

• Reconocimiento tácito del rol del exilio de Miami. Desde el principio de la revolución, Castro ha tildado a los exiliados cubanos de "gusanos", les ha negado todo derecho a participar en el futuro de Cuba y ha exigido negociar directamente con Estados Unidos sin participación alguna del exilio. Tales pretensiones sonarán cada vez más irrisorias en la medida en que los cubanos de Miami se conviertan en la principal fuente de ingresos de la isla.

• Instauración del capitalismo de Estado. La apertura económica, necesaria para detener el colapso económico de Cuba, terminaría con toda pretensión de socialismo, y pondría en evidencia lo que los cubanos en la calle ya están llamando el "capitalismo de Estado".

• Pérdida de los últimos vestigios de legitimidad ideológica. Ante el abandono de las banderas ideológicas de la revolución, a Castro le será cada vez más difícil justificar su permanencia en el poder durante 34 años y su negativa a cualquier apertura democrática. Su retórica socialista, ya entendida como una excusa para perpetuarse en el poder por la izquierda progresista en Cuba y la mayoría de los países latinoamericanos, sonará cada vez más vacía. ¿Qué diferenciará a Castro de los presidentes vitalicios que ha tenido América Latina? ¿Qué diferenciará al gobierno cubano de otros regímenes militares de la región?

Por cierto, Castro aún podría dar marcha atrás y no implementar ninguna de las medidas económicas que ha anunciado. No sería la primera vez que propone una reforma económica y luego la retira de circulación en un arranque de cólera revolucionaria.

A comienzos de los años ochenta, jugó con la idea de permitir mercados libres campesinos, luego los prohibió en 1986 al ver que los campesinos se volcaban masivamente a los mismos, después los volvió a considerar cuando la producción agrícola cubana se desmoronó por falta de incentivos económicos y luego los volvió a vetar en el IV Congreso del Partido Comunista en 1991 por temor a que los campesinos –cada vez más hostiles al régimen– se convirtieran en un sector económico independiente.

En ese mismo IV Congreso, se decidió permitir a los trabajadores por cuenta propia –como los mecánicos que trabajan en el mercado negro– que obtuvieran licencias para trabajar legalmente como operarios independientes. Pero pasados casi dos años de la decisión, Castro todavía no ha autorizado que se otorguen licencias a los miles de operarios del mercado negro de trabajo que las requieren. Obviamente, el temor de Castro a perder control político ha sido históricamente un elemento más importante en su proceso de toma de decisiones que su miedo a un mayor deterioro económico.

Pero eso podría cambiar ahora, cuando el derrumbe de la economía está creando un clima de impaciencia generalizado en la población. Aunque la prensa controlada –nacional y extranjera– pocas veces puede reportarlo, hay cada vez más enfrentamientos callejeros entre la población y la policía del régimen.

El 1o. de julio, en una de las pocas oportunidades en que uno de estos incidentes fue reconocido por el gobierno –y por lo tanto consignado en la prensa–, se produjo en el suburbio habanero de Cojimar la primera manifestación anticastrista en mucho tiempo. Cientos de personas apedrearon a la policía entre gritos de "Abajo Castro" después de que la policía disparara contra un grupo de cubanos que se aprestaban a abordar una lancha que había llegado de la Florida para sacarlos del país. Según el gobierno cubano, tres personas de las que intentaban huir del país murieron y varios de los manifestantes resultaron heridos en la refriega. Semanas después, en la cumbre iberoamericana de Salvador de Bahía, Brasil, Castro lamentaría el incidente y lo adjudicaría al mal manejo de la situación por parte de la policía.

El gobierno podría verse sin otra salida que abrir las compuertas de la economía para detener el creciente descontento político. En su evaluación de riesgos, Castro podría haber llegado a la conclusión de que –cuando las papas queman– el inmovilismo podría ser más peligroso que la tolerancia de un espacio de libertad económica. O, en el mejor de los casos, que le sería preferible pasar a la historia como el hombre que tomó el poder para ayudar a los pobres, que como el que empobreció al pueblo con tal de mantenerse en el poder.

El fracaso del plan de supervivencia económica de Castro tras la caída del bloque soviético confirma lo obvio: que Cuba no puede sustraerse a los vientos de la historia. Sin ninguna potencia que la subvencione, la isla tendrá que salir a competir al mercado mundial, al que los discursos políticos de Castro le tienen absolutamente sin cuidado. Aunque el régimen insistiera hasta hace poco que Cuba era un caso "especial" distinto a todos los demás países comunistas, tendrá que hacerse a la idea de que no lo es, ni puede permanecer aferrado a dogmas del siglo XIX según los cuales se podría obligar a los pueblos a su felicidad a punta de bayoneta.

En mi último viaje a la isla a fines de 1991, un hombre en la calle me dijo: "Esto ya se cayó, estamos en el papeleo". El fin del papeleo puede ser largo y lleno de vericuetos, pero la tendencia es clara.

Los tiempos en Cuba son prolongados y siempre lo han sido. Cuba logró su independencia en 1902, casi un siglo después del resto de América Latina y podría adoptar la Perestroika mediante las nuevas medidas económicas en 1993, casi una década después del resto del ex mundo socialista. Pero lo prolongado de las etapas políticas en la isla no altera las tendencias históricas.

La próxima etapa, la apertura económica y política, es inevitable. Ojalá el régimen cubano tenga el coraje de reconocer que saldrá mejor parado acompañando a la historia que negándola, que no podrá adjudicarse *ad eternum* el monopolio de la verdad, que algún día tendrá que permitir la libertad de expresión y que tarde o temprano tendrá que admitir que hay opositores en la isla que no son agentes de ninguna potencia hostil.

Si Castro no tiene la valentía de emprender la apertura y asumir sus consecuencias, las protestas como la de Cojimar se multiplicarán. Las luces del Malecón de La Habana se apagarán por completo, así como también las esperanzas de una salida pacífica al drama del pueblo cubano.

Miami

MIAMI, Estados Unidos, *Abril de 1993*. Rolando Prats, uno de los más conocidos miembros de la nueva generación de disidentes en Cuba, llegó hace dos semanas a Miami. Su intención, según dijo, es hacer una visita corta y regresar inmediatamente a La Habana. Su lugar está en la isla, donde espera tener un futuro político.

Prats, un hombre de pelo largo y anteojitos redondos, ha sido profesor de ruso del Instituto Politécnico de La Habana hasta que fue despedido por sus ideas democráticas. Actualmente, es uno de los líderes de la Corriente Socialista Democrática Cubana, un grupo que incluye a muchos ex militantes del Partido Comunista, que proponen un proceso simultáneo de levantamiento de las sanciones comerciales norteamericanas a Cuba y una apertura democrática en la isla.

Después de responder las consabidas preguntas sobre el gradual desmoronamiento del comunismo en Cuba, se me ocurrió preguntarle sobre un tema diferente: Miami.

¿Cómo ve a Miami un intelectual cubano de 34 años, que nunca antes había salido de la isla? ¿En qué se diferencia Miami de la ciudad que había esperado encontrar?

Antes de partir de Cuba, la imagen que Prats tenía de Miami –moldeada respectivamente por la propaganda oficial del régimen cubano y las transmisiones radiales del exilio cubano que llegan a la isla– era que esta ciudad era, políticamente hablando, una imagen invertida de La Habana.

"Me imaginaba que encontraría una ciudad llena de carteles políticos diciendo 'Abajo Castro', o expresando las distintas posiciones del exilio sobre el diálogo con Fidel Castro", me dijo Prats, abriendo las manos. "Me sorprendió no ver nada de eso".

"Me imaginaba a Miami mucho más cubana y menos americana de lo que es. Esperaba encontrarme con un gigantesco Miramar", prosiguió, refiriéndose al elegante barrio habanero donde antes vivían los empresarios, y donde hoy viven apparatchiks del gobierno y diplomáticos extranjeros.

"Pensé que Miami sería una ciudad donde la gente pasa la mayor parte del tiempo hablando de Cuba. Pero me encontré con que la mayoría de la gente se ha insertado en la sociedad americana; que han adquirido costumbres americanas".

Existe en Miami un "nivel asqueroso, enloquecido de consumo", continuó. La gente está corriendo constantemente de un lado a otro. Hay un horario para todo. No hay tiempo para el ocio. Esto es Estados Unidos, no Cuba, señaló, como refutando una creencia indiscutida.

Prats me advirtió que éstas eran apenas sus primeras impresiones de la ciudad. No había tenido suficiente tiempo para conocerla mejor. Pero, con obvia desilusión, me dijo que encontró en Miami un pensamiento político casi uniforme, lo mismo que en La Habana. El monopolio del pensamiento político estaba en manos de unos pocos, generalmente hombres de edad madura, y eso hacía que la mayoría de los jóvenes miamenses perdieran interés en la política, lo mismo que en La Habana.

"Muchos jóvenes de aquí están saturados de la política. Están mucho más interesados en insertarse en la sociedad americana. Los (exiliados) más activos políticamente son los que pelearon durante la revolución, en Miami o en Cuba, gente que hoy en día tiene entre 50 y 60 años".

Al no haber un activismo generalizado en la comunidad cubana de Miami, algunos dirigentes del exilio se aprovechan del vacío, dijo. Utilizan la política anticastrista como un vehículo para alcanzar notoriedad, y de paso hacer dinero con sus relaciones políticas. Y eso le está haciendo un enorme daño a quienes están luchando pacíficamente por la democracia en Cuba.

"El protagonismo que se atribuyen algunos líderes del exilio regresa como un boomerang contra los activistas de derechos humanos en Cuba", dijo Prats. "Porque estos dirigentes le dan pie a lo que dice la propaganda del gobierno cubano, que toda la oposición anticastrista está afuera de Cuba".

Prats exhortó a los líderes del exilio a que asuman un papel de apoyo a los disidentes que viven en la isla, "aunque no siempre estén de acuerdo con nosotros". Encogiendo los hombros, señaló que no lograba entender por qué motivo hay tan pocos exiliados que están apoyando económica y moralmente a los activistas de los derechos humanos que viven en Cuba. "Me da la impresión de que la mayoría de la gente que se fue de Cuba lo hizo con la idea de no volver".

Pero no los culpa. Este lugar parece funcionar bien. Hay mucho menos miseria de la que esperaba encontrar, y nada de las hordas de desempleados que imaginaba deambulando por las calles, como tantas veces había escuchado decir en la televisión de la isla. Dice estar impresionado por "la limpieza de la ciudad" y "la eficiencia de sus servicios públicos", aunque probablemente muchos residentes de esta ciudad no compartirían sus elogios.

"No veo cómo la gente que se ha insertado en este sistema pueda algun día salirse de él y regresar a Cuba", me dijo, con cierta melancolía, como quien vino a buscar algo y se va sin encontrarlo. "Va a pasar mucho tiempo antes de que Cuba, bajo cualquier sistema, funcione como esto".

Prats regresará a La Habana en los próximos días. Se irá más convencido que nunca de que la solución a los problemas de Cuba deberá venir desde dentro de su país. Miami, a los ojos de un visitante de la isla, está en Estados Unidos, aunque muchos de sus habitantes todavía no se hayan percatado de ello.

✍

Ojos de japonesa

LIMA, Perú, *Noviembre de 1992*. Fulvia Celica sintió su corazón latir con fuerza mientras subía las escaleras del Instituto Internacional de Cirugía Plástica y Estética, un imponente edificio blanco en la Avenida Arequipa, en el mero centro de Lima. Era una rubia alta, corpulenta, cuyo caminar cosechaba piropos de los transeúntes limeños. Tenía un rostro sensual, piernas largas, manos grandes y sugestivas. Lo que los peruanos llaman un buen lomo. Pero en ese momento, no estaba como para recibir halagos. Estaba temblando de miedo. Sabía que la cirugía plástica sería dolorosa. Pero estaba decidida a hacer todo lo necesario para triunfar en su profesión, el competitivo mundo del strip tease.

Después de una tensa espera, la invitaron a pasar a las oficinas del doctor Eusebio Aguilar. Las paredes de la sala estaban cubiertas de diplomas y recortes periodísticos enmarcados, con párrafos subrayados destacando las proezas que había realizado el médico con el bisturí. Aguilar era uno de los cirujanos plásticos más prominentes de Perú; un hombre bajo, fornido y seguro de sí mismo que inspiraba confianza en sus pacientes. Tras una breve explicación sobre el procedimiento que se aprestaba a realizar, invitó a Fulvia a pasar a un cuarto adyacente. Había llegado la hora de comenzar la operación.

Primero le pidió a Fulvia que se acostara en un sofá y se relajara. Acto seguido, ya con los guantes y la mascarilla quirúrgica puestos, le inyectó un poderoso anestésico local. Con la ayuda de una enfermera que le pasaba los instrumentos quirúrgicos, el doctor Aguilar se puso a trabajar. Una hora y media después, el cirujano dio un profundo suspiro, dejó caer sus brazos y se quitó la máscara con las manos.

La operación se había desarrollado sin contratiempos. Fulvia tendría una apariencia diferente. Muy diferente. No sólo tendría los senos más grandes y los muslos más esbeltos que el común de las mujeres, producto de cirugías a las que se había sometido anteriormente, sino que ahora sus ojos lucirían distintos. Ya no serían los ojos de una peruana. Serían lo que ella quería que fueran: ojos de japonesa.

Fulvia es parte de un nuevo fenómeno en Perú. La prensa local lo llama "el caso de los 'falsos japoneses'". Se trata de cada vez más peruanos y peruanas que se someten a cirugía plástica para parecer japoneses –en realidad, medio japoneses– y emigrar a Japón en busca de mejores condiciones de vida.

Los "falsos japoneses" tratan de aprovecharse de un hueco en las rígidas leyes de inmigración de Japón, que dan preferencia a los descendientes de padres japoneses nacidos en el extranjero a la hora de otorgar visas de trabajo. Como era de esperar, la metamorfosis de peruanos en presuntos descendientes de nipones se ha convertido en una gran industria en este país.

El plan funciona así: los peruanos que quieren emigrar al Japón pagan un promedio de 2,000 dólares a una familia japonesa radicada en Perú, a la que contactan mediante un intermediario, y a la que a menudo nunca llegan a conocer, para que los adopten. Una vez adoptados legalmente por sus nuevos padres, los aspirantes a japoneses se cambian el nombre por uno nipón, para que figure así en su nuevo pasaporte peruano. Este último puede ser agilizado mediante el pago de 200 dólares a los empleados públicos encargados del trámite. Tras obtener su nuevo nombre y pasaporte, se someten al paso más doloroso: la cirugía plástica en los ojos, a un costo aproximado de 1,500 dólares, para hacerse pasar por descendientes de japoneses cuando lleguen al aeropuerto de Tokio y se enfrenten a un funcionario del servicio de inmigraciones japonés.

Fulvia planea hacer su viaje a Japón a finales de este año. Está ilusionada con los relatos que escucha de sus ex compañeras de trabajo que ya están allí, juntando los yenes que los japoneses felices de la vida colocan en sus diminutas ligas de bailarina.

"Las cosas están muy mal en Perú", me explicó Fulvia cuando aceptó hablarme sobre sus planes. "Mucha gente se está yendo a trabajar a Japón por unos años, para luego volver a Perú con una buena reserva". Tenía planeado juntarse con tres amigas que estaban trabajando en un club nocturno en Tokio, a quienes les iba de maravillas. Cuando le pregunté si los sacrificios y los peligros de su proyecto no eran demasiados, se encogió de hombros. "Mi amor, el que no se mueve, no llega", contestó.

La extraña historia de los peruanos que se transforman en japoneses empezó hace unos tres años, al final del gobierno de Alan García, un abogado con aires de grandeza que pasó a la historia por haber declarado una moratoria sobre el pago de la deuda externa que dejó al país en la bancarrota total. Mientras García se pavoneaba por los salones del poder orgulloso de los titulares que le dedicaban los periódicos de todo el mundo, las inversiones extranjeras cayeron en picada, la tasa anual de inflación superó el 3,000 por ciento, el valor real de los salarios bajó en un 48 por ciento, y la economía se contrajo en 11 por ciento. A todo esto, el grupo guerrillero maoísta Sendero Luminoso estaba cobrando fuerza y realizando ataques en lugares cada vez más cercanos a las principales ciudades del país. Ante esta situación, un número cada vez mayor de peruanos había llegado a la conclusión de que tenían una sola forma de mejorar sus condiciones de vida: abandonar el país.

Muchos de los 100,000 integrantes de la comunidad japonesa-peruana –la segunda más grande en América Latina, después de la establecida en Brasil– comenzaron a regresar a la tierra de sus ancestros. Una gran cantidad de jóvenes nikkeis, como se llaman los hijos de emigrantes japoneses nacidos en el extranjero, respondieron a los anuncios de empleo publicados en el *Perú Shimpo*, el diario bilingüe de la comunidad japonesa en el Perú. Los anuncios pedían trabajadores jóvenes para las fábricas de automóviles y equipos electrónicos en Japón. De hecho, la mayoría de los empleos eran para trabajos físicamente agotadores, que los japoneses ya no querían realizar.

A medida que corrió la voz en Perú de que había posibilidades de trabajo en el Japón, miles de peruanos comenzaron a buscar la forma de emigrar a ese país. Pero pronto descubrieron que se estaban estrellando contra un muro inexpugnable. Las leyes de inmigración niponas hacían prácticamente imposible que los peruanos que no pudieran probar sus lazos sanguíneos con el Japón pudieran obtener permisos de estadía y trabajo en el país. Sin embargo, la necesidad estimula la imaginación, y no pasó mucho tiempo antes de que algunos avispados agentes de viaje, abogados de inmigración y "gestores" empezaran a pergeñar formas de saltar el muro.

"Hace unos años, todo el mundo quería ir a Estados Unidos", me señaló Eduardo Oka Kurihara, un líder de la comunidad nipona que fundó una organización sin fines de lucro para ayudar a los miles de nikkei que querían regresar al país de sus antepasados. "Pero cuando escucharon que podían ganar en un día en Japón lo que ganaban en todo un mes en el Perú, hubo una avalancha de gente deseosa de irse a Japón".

Unos 40,000 peruanos –según ellos, todos legítimos descendientes de inmigrantes japoneses– se han trasladado en años recientes a Japón. La mayor parte de ellos hizo su peregrinaje en los últimos tres años, desde que empeoró la situación económica en el Perú. La organización de Oka Kurihara ayudó a unos 8,000 de ellos a establecerse en Japón, según sus propias estadísticas.

Oka Kurihara calcula que aproximadamente el 40 por ciento de los 40,000 emigrantes son "falsos nikkei", y que sólo un pequeño numero de éstos ha llegado al extremo de operarse los ojos para poder entrar en el país. La mayoría de los inmigrantes había entrado al Japón con nombres nipones en una época en que las leyes de inmigración japonesas eran menos estrictas que ahora.

Aunque últimamente las cosas en Japón se han puesto mucho más difíciles para los inmigrantes –una prolongada recesión está reduciendo el mercado de trabajo, y el país está restringiendo al mínimo los permisos de trabajo para los recién llegados– la brecha en los salarios sigue siendo enorme. El salario mínimo en Perú es de alrededor de 55 dólares mensuales, aproximadamente lo que la mayoría de los trabajadores japoneses ganan en un día.

Miles de peruanos siguen dispuestos a intentar la aventura. En la sección de avisos clasificados del principal periódico del Perú, *El Comercio*, uno puede encontrar casi a diario ofrecimientos de todo lo necesario para convertirse en un "falso nikkei" –desde documentos de adopción hasta cursos de costumbres japonesas–, por si acaso un inspector de inmigración le pregunta al recién llegado sobre los gustos culinarios de sus abuelos nipones. La mayoría de los avisos ofrecen kosekis, los documentos japoneses que hacen las veces de certificados de nacimiento y que son necesarios para certificar la adopción por parte de una familia japonesa.

"Familia japonesa ofrece koseki por $800. ¡Gran oportunidad para emigrar a Japón!", rezaba un anuncio reciente que encontré en *El Comercio*. El aviso traía una dirección postal y un número telefónico en Lima. Otro aviso tenía un titular que gritaba: "¡¡¡Japón!!!" Debajo, en letra más chica, decía: "Vendemos documentación completa, incluyendo kosekis. Llame de 7 a.m. a 7 p.m.".

Probablemente nadie conozca el fenómeno de los "falsos nikkei" mejor que Carlos Ujike Masaki, un reportero de 33 años del *Perú Shimpo* y orgulloso descendiente de inmigrantes japoneses. Su periódico funciona en un edificio destartalado, que parece estar a punto de desmoronarse. En la sala de redacción hay sólo un teléfono, de los negros de la década de los cincuenta, y tres máquinas de escribir manuales. El periódico no tiene dinero para pagar taxis. Ujike recibe un sueldo que describe, con una sonrisa estoica, como una "propina".

Pero, a pesar de sus humildes condiciones de trabajo, Ujike ha hecho las mejores investigaciones periodísticas sobre los "falsos nikkei". Viajó en autobús a las pequeñas colonias japonesas de las zonas rurales del Perú, para hablar con los granjeros japoneses que ofrecen certificados de adopción en los avisos clasificados de los diarios de Lima; tocó en las puertas de abogados y empleados públicos que renuevan los pasaportes de los peruanos para incluir sus nuevos nombres japoneses; y pasó largas noches en vela tratando de seguir la pista de las agencias de viaje que incitan a los peruanos a emigrar a Japón, pintándoles un paraíso terrenal al otro lado del océano.

Ujike incluso utilizó gran parte de una beca de periodismo que se le otorgó en Japón el año pasado para proseguir allí su investigación. Visitó fábricas en todo el país, y entrevistó en ellas a gran cantidad de inmigrantes peruanos. También encontró "falsos nikkei" desempleados, durmiendo en baños públicos de estaciones del metro. Sus reportajes de primera plana sobre los peruanos en el Japón causaron sensación en la comunidad japonesa en el Perú.

A medida que Ujike se fue adentrando en sus investigaciones, se convirtió en un crítico cada vez más severo de quienes están haciendo un negocio millonario del tráfico de seres humanos a Japón, incluidos sus compatriotas peruano-japoneses. Ujike está especialmente molesto con los inmigrantes japoneses que venden sus papeles de adopción. En Huaral, una colonia de agricultores japoneses a dos horas en auto de Lima, encontró una familia que hizo una pequeña fortuna vendiendo copias legalizadas de sus kosekis. Una mujer del pueblo llegó al extremo de adoptar a 70 peruanos. Después, la mujer tomó su recién adquirida fortuna y se marchó a Japón.

"Como peruano descendiente de japoneses, estoy avergonzado de esto", me dijo Ujike. "Nosotros éramos vistos en el Perú como una gente honrada y trabajadora. Mis padres, y los que vinieron antes de ellos, tuvieron que trabajar duramente durante años para ganarse esa reputación. Ahora, de repente, esta gente que vende documentos falsos está tirando todo por la borda".

La comunidad japonesa de Perú surgió como un bloque étnico importante a comienzos de siglo, cuando decenas de miles de japoneses emigraron al país sudamericano para escaparse de una crisis económica en su país. La mayoría de los inmigrantes se establecieron en los alrededores de Lima, o en Trujillo, una ciudad norteña en la frontera con Ecuador. Casi todos eran agricultores, que pronto se destacaron por su laboriosidad y austeridad. Muchos de sus hijos se dedicaron al comercio, abriendo restaurantes, ferreterías y pequeñas tiendas de todo tipo.

No fue sino hasta hace unas pocas décadas que gran número de los nikkei comenzó a ir a la universidad, y a graduarse de médicos y abogados. Ujike, el periodista del *Perú Shimpo*, se graduó en periodismo en la Universidad de San Marcos, una institución pública. El peruano de origen japonés más conocido de este país, Alberto Fujimori, se graduó de ingeniero, y llegó a rector de la universidad. En 1990, su nombre recorrió el mundo, tras convertirse en el primer jefe de Estado sudamericano descendiente de japoneses.

Desde entonces, Fujimori ha impuesto severas medidas de austeridad para lograr reinsertar al Perú en la comunidad financiera internacional, que han logrado bajar la inflación pero todavía no han conseguido aliviar la situación económica de la mayoría de los peruanos. En abril de este año, Fujimori clausuró el Congreso y suspendió la Constitución, en un arranque de autoritarismo que llevó a Estados Unidos y Europa a suspender la ayuda económica al país. Mientras tanto, los rebeldes de Sendero Luminoso han extendido su ofensiva terrorista a la capital, con un número sin precedentes de ataques con carros bomba en las esquinas más concurridas de Lima. Desde casi cualquier punto de vista, el Perú en 1992 es un país al borde del caos. De manera que los descendientes de los japoneses están abandonando el país en números cada vez mayores, por muchos de los mismos motivos por los que sus abuelos llegaron aquí a principios de siglo.

"La mayoría de los jóvenes ya se fueron", me dijo Regina de Kochi, maestra de japonés en el puerto del Callao, a pocas millas de la capital, con un aire melancólico. Tres de sus cuatro hijos ya se han ido a Japón. Todos en los últimos tres años.

"Terminaron el colegio secundario y se fueron", dice De Kochi. Y muchos otros peruanos, que hasta hace poco ni hubieran pensado en emigrar a un país tan distante, están siguiendo sus pasos.

Fulvia, la bailarina de strip teasc, no está dejando nada al azar en la preparación de su viaje. Ya ha iniciado los trámites para ser adoptada por un agricultor japonés al que no conoce, ni probablemente llegue a ver. El gestor que está haciendo el papelerío le ha dicho que todo marcha a las mil maravillas. Fulvia ha contactado a un segundo gestor para agilizar su cambio de nombre en las oficinas del gobierno peruano, de manera que espera tener pronto un nuevo pasaporte con su flamante identidad nipona.

Una vez por semana, toma clases de japonés en una academia, donde se encuentra con varios "falsos nikkei" deseosos de poder balbucear algunas palabras en la lengua de sus presuntos abuelos para cuando llegue el temido encuentro con los inspectores de migración japoneses. Fulvia dista mucho de tener la figura diminuta de la mayoría de las japonesas. Pero confía en que, con un poco de suerte, podrá pasar por una mezcla de japonés con peruana. Cuando llegue el momento de viajar, piensa cortarse el pelo, teñírselo de negro, y hacer un ingreso triunfante en el aeropuerto de Tokio con su nuevo nombre japonés... y sus nuevos ojos orientales.

"Por supuesto, nadie me va a tomar por una japonesa", admite, encogiéndose de hombros. "Todo lo que necesito es pasar por una peruana de ascendencia japonesa. Con unas pocas palabras de japonés y los documentos adecuados, espero poder lograrlo."

Cuando Fulvia me presentó a su cirujano plástico, varias semanas después de la operación, el doctor Aguilar no podía estar más orgulloso de su trabajo. Según él, había inventado el mejor procedimiento quirúrgico para transformar a occidentales en japoneses. Se había convertido en una autoridad en la materia, al punto que había escrito un capítulo entero sobre su procedimiento para el nuevo manual de la Asociación de Cirujanos Plásticos del Perú, de próxima aparición. El capítulo se titulará: "Cómo transformar ojos peruanos en japoneses".

Aguilar me explicó el secreto de su ciencia. Pidió a Fulvia que se recostara sobre una camilla y, señalando sus ojos con un bisturí, me explicó que la clave para convertir a peruanos en japoneses no consiste en estirarles los ojos, sino en hacer los párpados más gruesos. Para lograrlo, Aguilar realiza una liposucción en el abdomen del paciente para extraer alguna grasa, la mezcla con antibióticos, inyecta la mezcla en los párpados y –voilá– sale un japonés, o mejor dicho un peruano-japonés.

Hace dos años, cuando la ola de la emigración a Japón estaba en su clímax, Aguilar llegó a realizar unas 25 operaciones al mes. Ahora, producto de la recesión económica en el Japón y las mayores restricciones a la inmigración, el número de aspirantes a japoneses que pasan por su clínica ha bajado a unos 10 mensuales.

El doctor Aguilar no es el único que está viendo caer a su clientela. Toda la industria de la producción de "falsos nikkei" está en una profunda recesión. Así lo confirma Alicia de Isayama. Es una mujer de pelo blanco y porte aristocrático que da cursos intensivos de idioma y cultura japoneses en su casa en Brea, un barrio de gente humilde y trabajadora.

En sus cursos, que duran un promedio de dos meses, ha enseñado a cientos de jóvenes peruanos de ascendencia japonesa los elementos básicos de la cultura japonesa: cómo leer y escribir el alfabeto japonés, cómo comer con palillos, y –muy importante– cómo saludar a un funcionario de inmigración japonés. Hasta hace poco, De Isayama tenía un promedio de 50 estudiantes por mes. Ahora sólo tiene 20.

"La gente se está enterando de que muchos peruanos están varados en Japón, sin trabajo, y que muchos son devueltos a Perú desde el mismo aeropuerto de Tokio", me dijo la señora De Isayama, con los pies y las manos a juntillas. "Yo misma estoy recomendando a mis estudiantes peruanos que no traten de emigrar a Japón".

Es que, hace pocas semanas, las autoridades japonesas han adoptado nuevas reglas para impedir el fraude de los "falsos nikkei". Entre otras cosas, están exigiendo a los peruanos que buscan visas de trabajo que además de sus pasaportes presenten otros documentos japoneses, como certificados escolares. Aunque es relativamente fácil cambiarse de nombre y obtener un nuevo pasaporte peruano con un nombre nipón, fraguar un documento escolar japonés en el Perú es mucho más complicado.

Además, Japón ha comenzado a exigir que quienes solicitan visas de trabajo tengan un contrato laboral, o sean patrocinados por familiares en Japón. Ya no es suficiente tener un nombre japonés y un semblante vagamente nipón. Hay que tener por lo menos una oferta de trabajo. Y las autoridades peruanas también han comenzado a preocuparse por el fenómeno de los "falsos nikkei", porque amenaza con crearles un verdadero dolor de cabeza. Hay rumores de que algunos de los peruanos que compraron sus papeles de adopción y emigraron a Japón han vuelto al Perú para reclamar su herencia de sus supuestos padres. Los herederos legítimos, según la historia, han puesto el grito en el cielo, y los funcionarios peruanos no saben qué hacer, temerosos de que salte a la luz la corrupción oficial en los trámites de adopción.

Finalmente, está el problema de las agencias de empleo. Incluso descendientes legítimos de japoneses que han cumplido las exigencias de inmigración japonesa se han quejado de haber sido engañados por agencias de empleo deshonestas.

"Uno de mis alumnos respondió recientemente a un anuncio en el periódico que ofrecía empleos en Japón por 1,200 dólares al mes. Una vez que comenzó a trabajar allí, descubrió que sólo estaba ganando 800 al mes", me dijo De Isayama, indignada.

Sin embargo, ni la recesión japonesa, ni las medidas más estrictas para restringir la inmigración parecen desalentar a Fulvia. Con una mirada de determinación en sus nuevos ojos japoneses, está decidida a triunfar en los cabarets de Japón. Se ríe de las noticias sobre los problemas de la economía japonesa: por lo que escucha de sus colegas peruanas en Tokio, hay mil veces más dinero disponible que en el Perú, y los japoneses se vuelven locos por las peruanas. Y tampoco tiene remordimientos: no le está haciendo daño a nadie al convertirse en una "falsa nikkei". Cuando uno necesita trabajo, hay que ir donde estén los buenos empleos, y hacer todo lo necesario para obtenerlos, dice.

Por lo demás, la idea de someterse a una operación para cambiar su identidad física en busca de una vida mejor no es algo nuevo para Fulvia. En 1979, mucho antes de convertirse en japonesa, Fulvia se había sometido a una operación mucho más importante: se había cambiado de sexo, para convertirse en mujer. Su más reciente reencarnación no era sino una etapa más de sus constantes mutaciones para adecuarse a las necesidades del mercado. En algún lugar de las varias personas que había dejado atrás, de quienes no quedaban ni los nombres ni las apariencias, había un principio rector que la llevaba por la vida: el que no se mueve, no llega.

✍

Posdata: Nunca supe si Fulvia llegó a ir a Japón o no. Volví a tener nuevas noticias de ella en 1996, cuando me enteré por la prensa que había iniciado una nueva carrera en el Perú: la política. Según los diarios, era asesora de Susy Díaz, una bailarina exótica que fue electa al Congreso peruano por el Partido del Palo, una agrupación política lidereada por bataclanas. Según la prensa, Fulvia se aprestaba para presentarse como candidata a diputada por el Partido del Palo en las elecciones del año 2,000. Si gana, dicen los periódicos, será la primera legisladora transexual en la historia del Perú.

Postal desde La Habana

LA HABANA, Cuba, *Febrero de 1992*. Si quieren tener una idea sobre cómo sobreviven los cubanos tras la caída del bloque soviético, déjenme relatarles lo que me pasó recientemente cuando intenté alquilar un carro en la agencia estatal Havanautos de esta ciudad. Quizá pueda servir para explicar cómo subsiste este pueblo en las duras condiciones que enfrenta desde que se cortaron de la noche a la mañana los subsidios soviéticos que hasta hace poco mantenían a flote la economía local. Para decirlo en pocas palabras, los cubanos sobreviven gracias al robo cotidiano de los bienes del Estado, a menudo bajo la mirada complaciente de los encargados de custodiarlos.

Pocas horas después de mi llegada a La Habana, fui a la agencia Havanautos en busca de un carro de alquiler que estuviera relativamente en buen estado. Tenía planeado quedarme dos meses en Cuba y viajar por todo el país, de manera que necesitaba un carro que me diera los menores problemas posibles, cosa nada fácil en un país donde los carros todavía son un lujo.

Para mi grata sorpresa, había ocho modelos Nissan 1989 en el garaje de Havanautos. El gerente de la agencia me dijo, sin embargo, que necesitaba escoger uno que estuviera en buen estado, porque la mayoría tenía desperfectos mecánicos. "Tú sabes, los turistas mexicanos los destrozan", me dijo el hombre, como repitiendo una verdad universalmente conocida.

Tras largas deliberaciones mientras caminaban por la fila de automóviles, el administrador y sus ayudantes escogieron un Nissan amarillo de cuatro puertas. Lucía hermoso. Pero cuando empezaron a revisarlo para poder entregármelo, descubrieron que le faltaba el neumático de repuesto.

"No hay problema, chico", me dijo el gerente, con el eterno buen humor de los cubanos. Hizo una seña con la mano, y uno de sus mecánicos abrió el maletero de otro automóvil estacionado junto al mío, para sacarle la goma de auxilio. Pero tampoco tenía. El mecánico buscó en el próximo carro, y repitió la operación con cada uno de los cinco vehículos restantes. Luego regresó a la oficina, meneando la cabeza. Ninguno de los ocho carros tenía neumático de repuesto, nos informó. Habían desaparecido.

"No te preocupes, chico, encontraremos uno", me dijo el gerente, sin perder la sonrisa. El hombre se alejó unos pasos, y habló durante unos segundos en petit comité con sus dos mecánicos. Acto seguido, bajo la atenta supervisión del gerente, los mecánicos se pusieron a trabajar: colocaron un gato debajo de uno de los carros del garaje, le quitaron uno de los neumáticos traseros, y colocaron dos ladrillos en su lugar, para que el vehículo no se tambaleara para un lado. Luego, pusieron el neumático en el maletero de mi coche. Solucionado el problema.

Pero ahí no terminó la historia. Después de pasar a mi Nissan por una ducha de agua, darle una rápida limpiada, y registrar en un formulario los rayones con que me lo entregaban, uno de los mecánicos entró en el carro para llevarlo a la puerta de entrada. Pero el motor no arrancaba. El mecánico trató varias veces de ponerlo en marcha, sin éxito.

"Es la batería", diagnosticó el hombre al salir del carro. No hay problema, chico, parecía decirme el gerente con la mirada, cuando yo ya empezaba a ponerme nervioso. Una nueva seña del gerente, y los dos mecánicos se dirigieron a otro de los coches, abrieron el capó, retiraron la batería y la instalaron en mi carro.

Unos cuantos minutos más tarde, mientras revisaban la lista de accesorios que figuraban en el contrato, descubrieron que mi vehículo no tenía un gato. De nuevo, lo buscaron en el coche de al lado, que tampoco tenía; repitieron la operación en otros tres coches, hasta que encontraron uno en el cuarto.

Cuando por fin me marché de la agencia Havanautos en mi resplandeciente Nissan amarillo, estaba dejando atrás una flotilla de vehículos mutilados. De los siete carros que quedaban, uno descansaba sobre ladrillos, otro tenía el capó levantado, y los otros cinco tenían el maletero abierto de par en par.

Uno de los mecánicos me despidió con la mano y una cálida sonrisa mientras yo me alejaba del lugar. ¿De qué se reía? Esa misma tarde, les relaté el episodio a unos amigos cubanos, y les pregunté por qué motivo el hombre parecía tan contento después de semejantes contratiempos. ¿Acaso el gerente y los mecánicos no se verían en problemas por haber prácticamente diezmado toda su flotilla de carros? ¿No los mandarían a cortar caña a la otra punta del país, o a algún otro tipo de trabajo forzado, por su negligencia?

Realmente no, me dijeron mis amigos. Lo más probable era que el gerente y sus empleados estuvieran sencillamente robándose los neumáticos, baterías y gatos, y los reportaban a sus supervisores como perdidos por descuidados turistas mexicanos. Luego venderían los neumáticos, baterías y otros repuestos en el mercado negro, para ganarse un dinero que les permitiera comprar comida para ellos, sus familias, y quizá darle una participación a sus supervisores.

¿Dónde compraban la comida? En el mercado negro, por supuesto, donde otros empleados de empresas estatales de alimentos robaban productos de sus centros de trabajo y los vendían al mejor postor en la calle. Igual que los trabajadores de Havanautos.

Una vez, almorzando en el elegante Hotel Victoria con un intelectual de izquierda latinoamericano durante una de sus frecuentes visitas a La Habana, pedí al mesero un flan de postre. Cuando el camarero volvió 20 minutos más tarde y colocó el plato en la mesa, no pudimos evitar soltar una carcajada al unísono: el flan era tan pequeño que apenas podía ser identificado como tal. Parecía una de esas monedas de chocolate, sólo que de material más blando, o una menta ligeramente sobredimensionada.

¿Cuál era la historia de los flanes del Hotel Victoria? Una rápida investigación de los hechos me aclaró las cosas. Resulta que hacía dos años, un chef español que había sido contratado por Cuba para entrenar a los cocineros del hotel, les había enseñado entre otras cosas a hacer flanes. Por supuesto, las recetas del instructor español incluían ingredientes y medidas como para hacer flanes de tamaño normal.

Sin embargo, unos meses después de marcharse el cocinero español, los empleados de la cocina habían descubierto que podían hacer flanes más pequeños sin problemas, quedarse con parte de los huevos, el azúcar y la leche, y venderlos clandestinamente a parientes o amigos. Con el pasar de los meses, los flanes del Hotel Victoria siguieron encogiéndose, mientras los bolsillos del personal de la cocina crecían.

Para cuando mi amigo y yo habíamos pedido nuestro postre, los flanes del Hotel Victoria habían llegado a un punto límite, donde corrían un serio riesgo de pasar por un adorno de gelatina o desaparecer en el plato.

El flan que se achicaba con el tiempo no fue el único fenómeno gastronómico con que me encontré aquí. Otro que me llamó la atención fueron los huevos numerados.

Una vez, en el hotel Habana Libre, me tocó comer el huevo duro número 233. Fuera de broma. El buffete frío que se ofrecía en el comedor del hotel incluía una cesta llena de huevos duros, cada uno con su respectivo número escrito en lápiz sobre su cáscara. Pronto me enteré de la razón. ¡El robo de huevos por parte de los empleados del hotel se había vuelto tan descarado, que la administración había ordenado que cada huevo fuese numerado para poder llevar un mejor control del inventario!

Los cubanos tienen un término para explicar el fenómeno de cleptomanía generalizada que se está dando en esta isla: "Resolver". Se trata de una estrategia de supervivencia individual que se ha convertido en una forma de vida en este país. Para sobrevivir aquí, uno debe "resolver", a menudo quebrando la ley. Y el régimen, consciente de que al ciudadano común no le queda otra, en la mayor parte de los casos hace la vista gorda, cosa de no aumentar las tensiones sociales. Como dicen por allí, existe una especie de pacto social tácito en este país: "El gobierno hace como que no ve las cosas malas que hacen los cubanos, y los cubanos hacen como que no ven las cosas malas que hace el gobierno".

Todo el mundo "resuelve" en la Cuba de hoy. Eso ayuda a explicar cómo, a pesar de las historias que escuchamos a diario sobre el colapso de la economía –debido a la interrupción de la ayuda del desaparecido bloque soviético, la escasez de petróleo, y el continuo embargo comercial norteamericano a la isla– Cuba aún no ha estallado en masivas protestas callejeras.

El país está en bancarrota, y se hunde en el caos económico a cada minuto que pasa. Pero, gracias a las mil maneras de "resolver" que tienen, los cubanos todavía están mejor que Cuba. A mediano plazo, la corrupción generalizada de Cuba sólo puede conducir a la desintegración del régimen marxista de Fidel Castro. A corto plazo, ayuda a explicar por qué aún no ha sucedido.

✍

Only in Colombia

BOGOTÁ, Colombia, *Noviembre de 1990*. No hay nada de extraño en que Gabriel García Márquez haya nacido en Colombia. En Colombia, la realidad es más surrealista que la ficción.

Si no me creen, déjenme compartir con ustedes algunas de mis recientes experiencias en este país, donde he pasado varias semanas en los últimos meses tratando de entender los vericuetos de las guerras de los cárteles de la droga, la violencia guerrillera, y la increíble estabilidad política con que ha sobrevivido esta democracia a pesar de la permanente agitación en que vive.

El mes pasado, por ejemplo, estaba cenando con el director de un importante periódico bogotano en su casa en la elegante zona de El Norte, y el anfitrión me preguntó –supongo que por cortesía a un corresponsal extranjero de visita en su país– si estaba interesado en entrevistar a Manuel Pérez, más conocido como "el cura Pérez". Se trataba del ex sacerdote católico y líder del Ejército de Liberación Nacional (ELN), que hoy en día es el dirigente guerrillero más buscado en este país.

No me moría de ganas, le respondí. Hacía unas pocas semanas, un periodista alemán y cinco reporteros colombianos habían sido secuestrados por presuntos guerrilleros y entregados al cártel de Medellín cuando se dirigían a un lugar remoto en las montañas para entrevistar al cura Pérez. Los periodistas no han vuelto a ser vistos, vivos o muertos.

De manera que cuando pregunté si había alguna forma menos arriesgada de entrevistar al líder guerrillero, el dueño de casa se ofreció a ponerme en contacto con Álvaro Leyva, un ex senador e influyente político del Partido Conservador, que a menudo actuaba como mediador entre el gobierno y la guerrilla colombiana. Con seguridad, se me informó, Leyva podía concertarme una conversación telefónica con el guerrillero más temido de Colombia.

Álvaro Leyva estaba escribiendo frenéticamente en su escritorio cuando fui a visitarlo a su oficina al día siguiente. Las paredes de su despacho estaban cubiertas de fotografías enmarcadas de estrellas de cine y televisión, muchas de ellas autografiadas y dedicadas. Sobre el escritorio de Leyva había varios libros de aerobics de Jane Fonda, esparcidos desordenadamente. Notando mi sonrisa inquisitoria, Leyva me explicó que estaba estudiando los libros porque estaba a punto de editar una serie de libros de aerobics con la estrella de un novelón colombiano, que pronto sería lá Jane Fonda colombiana. Uno tiene que ganarse la vida, sonrió.

A la derecha de su escritorio, sobre una mesita, se encontraba una computadora donde, intermitentemente, Leyva estaba escribiendo el borrador de la nueva Constitución de Colombia, destinada a modernizar significativamente la carta magna de 1886, que será debatida en el Congreso a comienzos del año entrante. Al lado de la terminal, había dos teléfonos, que Leyva utiliza para sus contactos cotidianos con los frentes guerrilleros del ELN y las Fuerzas Armadas Revolucionarias de Colombia (FARC).

Un hombre hiperactivo, Leyva parecía estar haciendo tres cosas al mismo tiempo, a toda velocidad. En un instante, estaba frente a la pantalla de su computadora escribiendo una cláusula de la nueva constitución. Inmediatamente, cambiaba de ventana en su pantalla y editaba un párrafo sobre ejercicios para bíceps recomendados por la Jane Fonda colombiana. Y mientras redactaba su proyecto de nueva constitución colombiana y editaba las instrucciones para endurecer los bíceps, hacía llamadas telefónicas para combinar los próximos enlaces, también telefónicos, con los jefes guerrilleros.

Esa noche, en medio de un total hermetismo y pidiéndome –por mi propio bien– que tratara de mantener la mirada fija en el pavimento, Leyva me condujo a una casa en un barrio residencial de Bogotá. Su interior estaba más cargado de imágenes religiosas que una iglesia. En las paredes colgaban decenas de crucifijos y escenas de la Última Cena. En una de las habitaciones había un sofisticado equipo de radiocomunicaciones.

Me costaba entender lo que estaba viendo. ¿Cómo podía evitar Leyva que los servicios de inteligencia colombianos, la CIA, o quien estuviera interesado pudieran escuchar sus conversaciones con el hombre más buscado del país?

Fácilmente, me respondió Leyva, con una combinación de picardía y orgullo. Llevaba en la mano una hoja de papel con una serie de claves. En una columna, a la derecha, podían verse palabras en código, y en otra columna a la izquierda frecuencias de radio de onda corta. Los rebeldes, en las montañas, tenían en la mano una copia de las mismas claves.

El truco era el siguiente: cada cinco minutos, Leyva indicaba a su interlocutor en las montañas cambiar la frecuencia, eligiendo cualquiera de las claves que ambos tenían en el papel. "¿Qué tal si pasamos a Gaviota?", preguntaba Leyva. Y los rebeldes, del otro lado, respondían: "OK, pasemos a Gaviota".

Admirado, le pregunté a Leyva si podría identificarlo en mis escritos como el hombre que me había puesto en contacto radiofónico con el cura Pérez. Seguro, no hay problema, respondió. "Todo el mundo en Colombia sabe que hablo con ellos todos los días, desde diferentes lugares." Lo único que me pidió es que no dijera dónde estábamos, para evitar que la policía allanara el lugar.

Acto seguido, mientras yo celebraba para mis adentros la posibilidad de entrevistar al cura Pérez sin tener que ir a las montañas y exponerme a un secuestro, Leyva me ofreció un Martini con hielo y me puso delante del micrófono. Del otro lado, entre los sonidos algo recortados del radio, me saludaba el líder guerrillero.

Lo que me dijo el cura Pérez en los minutos siguientes me resultó tan increíble como las circunstancias que habían rodeado la entrevista.

Pérez me dijo que era "un profundo amante de la naturaleza" y un "ecologista comprometido", respondiendo a mi pregunta sobre incendios de miles de hectáreas de bosques de la empresa Cartón de Colombia, la principal fabricante de cartones del país, provocados por guerrilleros del ELN. Sí, era cierto que había ordenado incendiar los bosques de pinos, me dijo Pérez con seguridad militar. Pero lo había hecho precisamente por su vocación ecologista, para llamar la atención del mundo sobre la destrucción de esos bosques por Cartón de Colombia, aseguró.

Me quedé meneando la cabeza, estupefacto. ¿Los guerrilleros estaban incendiando los bosques para defender la ecología? Cuando salí de aquella casa, no pude menos que pensar que aquel había sido un día asombroso. Un político conservador que estaba escribiendo la nueva Constitución de Colombia había interrumpido su labor de edición de un libro de aerobics de la nueva Jane Fonda colombiana para llevarme a una casa llena de crucifijos, donde un ex cura convertido en el hombre más buscado del país me había tratado de convencer por radio –mientras yo saboreaba un Martini– que estaba quemando los árboles para salvar los bosques. Only in Colombia.

El General Jesús Gutiérrez Rebollo durante su visita a Washington, D.C., en enero de 1997, poco después de ser nombrado jefe de las fuerzas anti-drogas de México. Era su primer viaje al extranjero. Hasta ese momento, el general sólo había recibido elogios en México y en Estados Unidos. Lo peor que se había dicho de él era que se parecía a Mussolini.

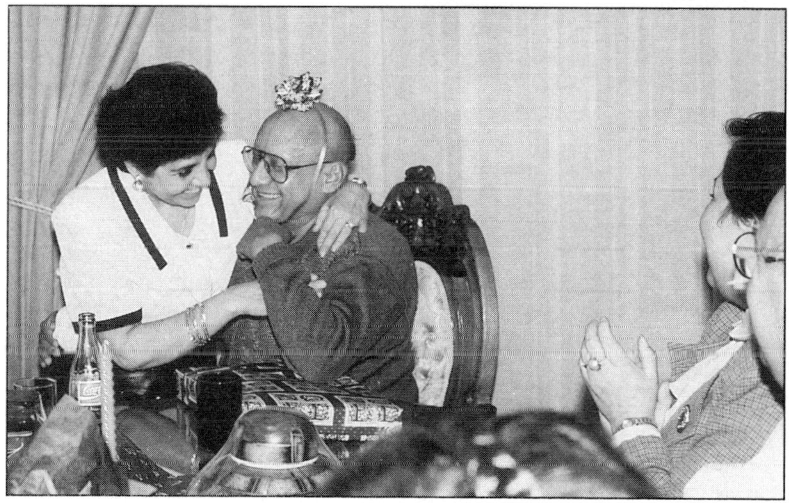

Gutiérrez Rebollo con su mujer, María Teresa Ramírez, en una fiesta familiar hacia fines de 1995, cuando el general se desempeñaba como comandante militar en Guadalajara. Según el gobierno, en aquella época ya tenía relaciones con el cártel de Amado Carrillo Fuentes y con varias compañeras sentimentales.

Raúl Salinas de Gortari, el hermano del ex presidente Carlos Salinas, comenzó a ser objeto de denuncias de corrupción en 1991. Sin embargo, los banqueros de Citibank aceptaron gustosamente sus depósitos, diciendo que nunca habían escuchado nada malo acerca de él.

Amy Elliott, la banquera de Citibank que abrió la cuenta de Raúl Salinas en Nueva York, y que le organizó su estructura de cuentas secretas en Suiza. Según dijo Elliott a los investigadores, "la primera vez que leí algo negativo sobre Raúl Salinas fue en febrero de 1995".

El presidente Ernesto Samper y Elizabeth Montoya, la Monita Retrechera, en una fotografía tomada en 1989 que el mandatario colombiano calificaría luego de montaje. Anteriormente, el abogado de Samper había reconocido la autenticidad de la foto, aunque quitándole toda importancia porque en el momento en que había sido tomada "no existía ningún cuestionamiento contra la mencionada señora". Los principales medios colombianos dijeron que era auténtica.

El presidente de Panamá, Guillermo Endara, 54 años, con su mujer Ana Mae, de 23. Los rumores de palacio decían que el presidente pasaba más tiempo con su mujer que atendiendo asuntos de estado. Un alto funcionario explicó: "Cualquier hombre que se enamora a los 54 años se vuelve loco. Endara no es la excepción".

El coronel Roberto Díaz Herrera (izquierda, con la mano en alto), quien se rebeló contra su jefe, el general Manuel A. Noriega, en una revuelta que culminó con la invasión norteamericana a Panamá en 1989. Díaz Herrera dijo que había recibido un mensaje del "Avatar" hindú Satya Sai Baba, instándolo a rebelarse contra Noriega.

El general Manuel A. Noriega (derecha), en entrevista con el autor, pocos meses antes de ser sacado del poder por la intervención militar norteamericana en 1989. Noriega había acudido a su propio consejero espiritual para combatir los poderes de los asesores espirituales de Díaz Herrera.

El "Avatar" hindú Satya Sai Baba. Díaz Herrera escuchó a su consejera espiritual decir que "sus poderes están más allá de nuestra comprensión. Él puede hacer desaparecer los arco iris, sanar enfermos, materializar toda clase de objetos, leer el pasado, presente y futuro de cualquier persona; y transformarse en formas humanas o no humanas".

El auge petrolero de Ecuador ha puesto fin a varios siglos de tranquilidad para los indígenas aucas. Los indios, cuya gran mayoría nunca ha tenido contacto con el hombre blanco, están aterrados. Todavía andan desnudos, y sus organismos carecen de inmunidad contra enfermedades tan simples para la civilización occidental como la gripe, el sarampión y la viruela.

Monseñor Alejandro Lavaca, en la selva ecuatoriana, en una de las últimas fotos antes de su muerte. Poco después fue encontrado con el cuerpo atravesado por 21 lanzas de madera y docenas de perforaciones de punta de lanza. Los indígenas lo mataron en un asesinato ritual.

Only in Colombia (II)

BOGOTÁ, Colombia, *Noviembre de 1990.* Cuando llegué al aeropuerto internacional de Bogotá a comienzos de este año, en momentos en que la campaña terrorista de los barones de la droga contra el Estado colombiano estaba en su apogeo, me sentí mucho más preocupado que de costumbre.

Horas antes de mi llegada, el cártel de Medellín había anunciado la reanudación de su campaña terrorista. Anunciaron que detonarían un carro bomba con 5,000 kilos de dinamita "en un barrio oligárquico de Bogotá", y que comenzarían una campaña de asesinatos de políticos, jueces y periodistas. Los periódicos del día señalaban que un clima de histeria se había apoderado de la ciudad.

Teniendo en cuenta la advertencia de los narcotraficantes –y el hecho de que ya habían detonado una bomba en el garaje del Hotel Tequendama, donde me había hospedado muchas veces– me alojé en un hotelito poco conocido y de precio módico en el norte de la ciudad.

Una vez en mi habitación, no pude evitar medir la distancia entre la cama y la ventana: 3 metros, lo suficiente como para ser alcanzado por fragmentos de vidrio si explotaba una bomba en la calle, pero probablemente la misma distancia que encontraría en el mobiliario de cualquier hotel de cinco estrellas. Estuve tentado de salir a comprar cinta adhesiva, y pegarla en la ventana de esquina a esquina, pero abandoné la idea al imaginarme tratando de darle explicaciones a una asombrada camarera al día siguiente. De modo que cerré las cortinas, coloqué una silla en medio como para que no se volvieran a abrir, corrí la cama todo lo que pude hacia el otro extremo de la habitación, y comencé a llamar a mis amigos colombianos para hacerles saber que me encontraba en la ciudad.

Lo que escuché del otro lado de la línea me dejó estupefacto. Uno de mis amigos, columnista de uno de los principales diarios de Bogotá, se excusó diciéndome que lo llamara al día siguiente, porque estaba saliendo de su casa en ese preciso instante: tenía entradas para la función de estreno del Berliner Ensemble de Alemania, el grupo de teatro que había fundado Bertold Brecht en 1946, que inauguraba esa noche el II Festival Iberoamericano de Teatro de Bogotá.

Otro amigo que llamé me dijo que tenía todas las noches de la semana ocupadas, pero que estaba cordialmente invitado si quería unirme a él y su esposa: tenían entradas para ver, entre otras cosas, al grupo de teatro Katona Jozsef de Hungría, que representaría una obra de Anton Chéjov, y a la compañía Satiricón, una de las mejores de la Unión Soviética, que pondría en escena una obra de Jean Genet.

El fin de semana estaría igualmente ocupado, me dijo mi segundo amigo, casi en tono de disculpa. Estaba la inauguración de la Muestra Nacional de Artistas, que exhibiría la mayor colección de obras de arte contemporáneo de Colombia, unas 1,000 obras de unos 455 artistas plásticos. Habría obras excelentes allí, incluidas varias del colombiano Fernando Botero, el pintor más conocido de América Latina.

Y luego, también estaba la muestra de preapertura de la Feria Internacional del Libro, donde se presentarían obras de Gabriel García Márquez y decenas de miles de libros de 120 casas editoriales de todo el mundo.

Mis amigos me dijeron que estaban seguros que yo los entendería: había tantas cosas para hacer, y tan poco tiempo, que resultaba difícil hacer planes para salir a cenar. ¿No podía acompañarlos al teatro?

Colgué el teléfono, y me quedé sentado en la cama, mirando a la pared con los ojos vencidos. ¿Cómo puede un periodista explicar a lectores norteamericanos lo que está pasando en Colombia? Éste es un país donde ninguna generalización resulta válida, donde todo –y nada– es cierto.

Es el país más violento del hemisferio occidental –80,000 asesinatos en los últimos cuatro años– pero, al mismo tiempo, uno de los más importantes centros culturales de América Latina. Nadie puede determinar a ciencia cierta si el país se encuentra en guerra o en paz en un momento determinado. Medellín puede estar siendo sacudida por una ola de violencia, con asesinatos masivos y carros bomba explotando en las calles del centro de la ciudad, mientras la gente en Bogotá está haciendo fila para entrar en los teatros.

Nadie sabe muy bien quién está combatiendo a quién. A diferencia de lo que ocurre en otros países de la región, los izquierdistas, derechistas y narcotraficantes no son grupos fácilmente definibles ni encasillables. Las facciones en conflicto están constantemente haciendo acuerdos entre ellas, para violarlos al poco tiempo y aliarse con otras. Los guerrilleros de izquierda combaten a los "narcos" en una zona del país, pero se alían con ellos para combatir al ejército en otras. No hay combinación política que no se haya ensayado: hay narcoguerrilleros, narcoparamilitares, militares guerrilleros, sacerdotes guerrilleros, y hasta curas narcos. Para todos los gustos.

Para hacer las cosas aún más confusas, los mismos terroristas a menudo trabajan free-lance para varios jefes al mismo tiempo. Un día ponen una bomba en un automóvil por encargo de los barones de la droga, y al siguiente asesinan a un campesino izquierdista por cuenta del ejército o hacendados de derecha.

Ni siquiera las estaciones del año son claramente identificables en Colombia. Nadie sabe con exactitud cuáles son los meses de verano y cuáles los de invierno. Si llueve, los colombianos dicen que es invierno; si hay sol, es verano.

En última instancia, pocas cosas en Colombia son blancas o negras, y nada es gris. Las cosas son de un color aquí y hoy, y de otro color allá mañana.

De allí que es imposible entender a Colombia por los titulares de los periódicos. Es un lugar de realidades en constante mutación; un país de paradojas y constantes sorpresas; un gigantesco acertijo que sólo puede ser explicado por medio de la ficción.

✍

El presidente enamorado

CIUDAD DE PANAMÁ, Panamá, *Noviembre de 1990.* Los panameños dicen que este país padece de un grave problema: su presidente está enamorado. Guillermo Endara, un hombre de 54 años, obeso y de aspecto poco deportivo, sueña despierto en las sesiones de gabinete, suspirando y mirando al techo con una sonrisa permanente en el rostro. Con frecuencia, llega tarde o sencillamente no asiste a las reuniones de gobierno, según informes periodísticos que se han convertido en la comidilla diaria de la sociedad panameña.

La razón: la primera dama Ana Mae Díaz, una atractiva muchacha de 23 años que se casó con Endara en junio, tras un intenso romance. Los críticos acusan al presidente, que aparece a menudo en público cogido de la mano de su joven esposa, de pasar más tiempo en su casa que en la oficina. Y como su casa está en el propio Palacio de las Garzas, un piso encima de su oficina, no es inusual que el presidente se levante repentinamente de una reunión, desaparezca durante dos horas, y regrese con una sonrisa a flor de labios.

"Cualquier hombre que se enamora a los 54 años se vuelve loco", me dijo un alto funcionario gubernamental, con una mezcla de simpatía y compasión por su jefe. "Endara no es la excepción".

Las críticas a Endara por su poca dedicación a la presidencia se han convertido en un asunto de primera importancia en Panamá, debido a que el primer mandatario no ha logrado poner fin a las constantes luchas internas que afectan a su gobierno de coalición. Endara fue colocado en el poder por Estados Unidos tras la invasión a Panamá el año pasado. Cuando asumió, en una base norteamericana, nombró a los principales políticos opositores del régimen de Noriega como sus colaboradores –una medida que apaciguó los ánimos de la oposición en un principio, pero que pronto se convirtió en fuente de constantes rencillas internas.

Los estrategas norteamericanos que planificaron la invasión a Panamá habían considerado todo tipo de planes de contingencia económicos y políticos, menos el enamoramiento del presidente. Ahora, los dos vicepresidentes y los 12 miembros del gabinete panameño se enfrascan casi a diario en conflictos públicos entre sí, poniendo en evidencia que el gobierno está dividido. Y el presidente Endara, según sus críticos, parece incapaz de detener los enfrentamientos dentro de su gabinete y dar a su gobierno un claro sentido de dirección.

"Físicamente, está allí", me dijo un funcionario gubernamental. "Pero su mente está en otra parte". Los panameños atribuyen parte de la lentitud de la recuperación económica a la caótica situación del gobierno, y –haciendo gala de su tradicional ingenio político– bromean que el general Noriega ha sido reemplazado por el general descontento.

Cuando solicité una entrevista con Endara la semana pasada, sus colaboradores me dijeron que el presidente –anteriormente bastante accesible a la prensa– no tenía lugar en su agenda para recibirme en esos días. Quizá advirtiendo un atisbo de sonrisa en mi rostro, el portavoz presidencial René

Hernández, y los dos vicepresidentes del país, se apresuraron en asegurarme con vehemencia que no había nada de cierto en los rumores de que Panamá tiene un presidente part-time.

Parte de la confusión se debe a que, por primera vez en muchos años, el país tiene un presidente civil, que vive y trabaja en el Palacio Presidencial, me dijeron. Endara y la primera dama viven en el tercer piso del Palacio de las Garzas, frente al océano. La oficina presidencial está en el segundo piso.

Debido a esta situación, Endara y su mujer pueden verse con frecuencia a la hora del almuerzo, las pausas en el trabajo, o la cena. Pero las malas lenguas en el palacio aseguran que el jefe de Estado pasa demasiado tiempo en sus aposentos, asumiendo que cada vez que sube a su casa lo hace para tener un interludio romántico con su mujer.

"En Panamá, nos gustan los chismes", me dijo Guillermo Ford, segundo vicepresidente y ministro de Planificación. "Cuando la gente no tiene nada mejor que hacer, comienza a inventar cosas."

Pero gracias a la libertad de prensa que existe desde que terminó el gobierno del general Noriega, los periodistas y caricaturistas se están haciendo una fiesta con la historia del romance presidencial.

Una caricatura reciente en el diario independiente *La Prensa* muestra la silla presidencial vacía, con un presidente invisible tirando pétalos de margarita al aire y diciendo: "Me ama, no me ama". Más allá de la ventana, se ve un país envuelto en llamas.

Los críticos también se quejan de que Endara le da a su esposa un papel excesivo en los asuntos del gobierno. Un rumor persistente, negado por los funcionarios del gobierno, dice que ella ha llegado a participar en reuniones de gabinete.

"En los 11 meses que tenemos en el gobierno, la he visto una sola vez en las reuniones del gabinete", desmiente el vicepresidente Ford. "Era tarde en la noche y entró brevemente para traernos un dulce".

Sin embargo, la primera dama recibió al menos una misión oficial. Durante una huelga de hambre de cinco estudiantes del Instituto Nacional cuando fueron suspendidos de clase, Endara le pidió a su esposa que tratara de convencer a los huelguistas de abandonar la protesta.

La primera dama se reunió con ellos y les dijo que hablaría con el presidente para levantar la suspensión. Sin embargo, había un problema: el perdón iba en contra de la política de línea dura del ministro de Educación. Después de nerviosas consultas dentro del gobierno, se llegó a un compromiso: los estudiantes no podrían asistir a clases, pero se les permitiría tomar un examen al final de año para que no tuvieran que perder el curso escolar.

Ana Mae apareció en los titulares durante los primeros días de octubre cuando, ataviada en el vistoso traje típico de los indios cuna de Panamá, acompañó al presidente a la Asamblea General de las Naciones Unidas.

La fotografía de la primera dama vestida de india en este organismo internacional creó un tremendo alboroto en la élite panameña. Los así llamados "rabiblancos" de la aristocracia local jamás habían visto con muy buenos ojos a la nueva primera dama, de piel trigueña y proveniente de una familia sin "pedigree" social alguno, que para colmo se había presentado con pantalones color verde chillón en el funeral de una importante figura del país. Ahora, las damas de sociedad estaban más consternadas aún, porque Ana Mae estaba manchando la imagen del país en el exterior, y nada menos que en las Naciones Unidas.

Una caricatura en *La Prensa* presentó a Endara semi desnudo con un taparrabos y una lanza en la mano, diciendo a su esposa vestida de india: "Apúrate, cariño, que se nos hace tarde para la Asamblea General".

En una carta al mismo diario el 7 de octubre, la lectora Beatriz E. Girón escribía: "Imagínense si la señora de Bush hubiera asistido a la Asamblea General vestida de india sioux".

Las críticas a la presentación de la primera dama en la ONU se intensificaron cuando periódicos panameños informaron que Endara se había negado a pronunciar su discurso ante la Asamblea si no se permitía a su esposa sentarse con la delegación panameña en la sala de sesiones. La mayoría de las primeras damas asisten a los discursos desde un palco para personalidades importantes, pero el presidente panameño se había emperrado en que su mujer estuviera a su lado, dijeron los periódicos.

La mayoría de los colaboradores de Endara y funcionarios de Estados Unidos que siguen de cerca los pasos del presidente desmienten estas versiones. Dicen que los problemas del primer mandatario panameño no tienen nada que ver con el amor, o con el excesivo poder que le da a su esposa, sino con la forma desordenada en que maneja su tiempo.

Lo que ocurre es que, cuando el presidente está reunido tratando algún asunto de su interés, se queda durante horas en esa reunión y llega tarde a la próxima, dicen. El mandatario no tiene a nadie que lo fuerce a seguir su agenda, me señaló un funcionario panameño. "Nunca ha sido un ejecutivo; antes dirigía una pequeña oficina de abogados", me dijo un alto funcionario de la embajada de Estados Unidos. "Es un hombre muy astuto e inteligente que está aprendiendo a gobernar".

Complicando aún más el asunto, Endara gobierna sin colaboradores de gran visibilidad, y sin un portavoz identificado.

Además, está aislado políticamente dentro de su gobierno de coalición. Su Partido Panameñista sólo cuenta con uno de los 12 puestos del gabinete, y apenas seis bancas de las 58 existentes en el Congreso.

Tanto sus adversarios políticos como sus amigos admiten que incluso si no estuviese enamorado, sería muy difícil que Endara se convirtiera en un presidente autoritario. El mismo Endara me señaló en una ocasión que era bueno para Panamá que su presidente no tuviera tentaciones autoritarias: el país ya había tenido demasiados caudillos en las últimas dos décadas.

Graduado de Derecho con honores en la Universidad de Panamá, y durante mucho tiempo portavoz del ya fallecido y cuatro veces presidente Arnulfo Arias, Endara había sido durante mucho tiempo el asistente del ex presidente. Un leal y eficiente colaborador, pero nunca un líder.

Desde niño, Endara siempre había sido conocido por sus amigos como "El Gordo". En años recientes, cuando comenzó a destacarse en la política como un hombre de buen corazón, se ganó el apodo de "Pan de Dulce", un tipo de pan relleno de frutas secas que gusta mucho a los panameños. Pero a pesar de su imagen pachurrienta –el presidente suele sentarse con las piernas abiertas, dejando ver medias que apenas le llegan a los tobillos– Endara se destacó como un opositor de gran valentía en las demostraciones callejeras contra Noriega en los últimos años. En mayo de 1989, fue salvajemente golpeado por la policía secreta de Noriega, y tuvo que ser hospitalizado con una profunda herida en la frente.

El año pasado, precisamente en medio de las manifestaciones cívicas contra Noriega, Endara enviudó de su primera mujer. El presidente conoció a Ana Mae a los pocos meses, durante una huelga de hambre que hizo para llamar la atención internacional sobre los abusos contra los derechos humanos cometidos por Noriega. Advirtió la presencia de la joven entre un grupo de simpatizantes, y la invitó a conversar. Fue amor a primera vista, dicen los dos. Poco a poco, Ana Mae se fue ganando espacios en la vida pública de Endara, desplazando gradualmente a la hija del presidente, Marcela, tres años mayor que su actual madrastra, y que había asumido el papel de primera dama durante los primeros meses de la presidencia.

Los allegados políticos de Noriega, aprovechando las presuntas ausencias presidenciales, ya están exigiendo la renuncia de Endara. El gobierno rechaza semejantes sugerencias como ridículas. Y como si no faltaran elementos para alimentar los murmullos que salen del palacio, los periódicos panameños acaban de reportar que el presidente "Pan de Dulce" ha instalado un juego de Nintendo en sus recámaras.

Mario Rognoni, ex secretario de Estado de Comercio bajo Noriega, forma parte de los que están explotando al máximo la última revelación. En una entrevista la semana pasada, Rognoni me dijo: "Endara está más contento jugando al Nintendo con Ana Mae que resolviendo los urgentes problemas de gobierno. Las presiones del cargo pronto lo obligarán a renunciar, o a tomar el mando del país".

✍

Posdata: Endara terminó su mandato tal como estaba previsto en 1994, convocó a elecciones democráticas, y permitió que su adversario político Ernesto Pérez Balladares –del ex partido de Noriega– asumiera el poder. Al momento de publicarse este libro, tres años después de terminada su presidencia, continuaba felizmente casado con Ana Mae.

La guerra de los brujos

CIUDAD DE PANAMÁ, Panamá, *Agosto de 1989.* A las 6 a.m. del 27 de julio de 1987, soldados del cuerpo de élite del ejército panameño adiestrados en Israel derribaron con granadas de mano la puerta de la mansión del coronel Roberto Díaz Herrera en el exclusivo barrio Altos del Golf de esta ciudad. La explosión sacudió al vecindario.

Los soldados, vistiendo uniforme de combate, irrumpieron en la mansión disparando subametralladoras Uzi y lanzando bombas de gases lacrimógenos. Dos helicópteros militares disparaban desde el aire. Los vecinos del coronel, aterrorizados, buscaron refugio bajo sus camas. Dentro de la casa, Díaz Herrera, su esposa Maigualida y otras 42 personas, entre familiares y seguidores, se acurrucaban en el piso de uno de los dormitorios. Las ancianas del grupo rezaban ave Marías. Pero la deidad en que pensaban el coronel y sus seguidores más cercanos era un gurú de la India, con una toga blanca, que los estaba mirando con una tenue sonrisa desde su fotografía colgada en la pared.

Minutos después, Díaz Herrera, quien hasta apenas dos semanas antes había sido el segundo hombre de las Fuerzas de Defensa de Panamá, era detenido y llevado a la cárcel. Había hecho lo que ningún otro militar panameño se había atrevido a hacer: convocar una conferencia de prensa y denunciar públicamente la enorme corrupción y el fraude electoral perpetrados por los militares panameños. Lo que es más, había acusado al jefe máximo de las Fuerzas de Defensa, general Manuel A. Noriega, de haber ordenado personalmente asesinatos políticos.

Las revelaciones de Díaz Herrera estremecieron a Panamá, y arrastraron a Estados Unidos a su crisis más humillante de los últimos tiempos en América Latina. El conflicto interno panameño puso de relieve la imposibilidad de Washington de influir sobre un país relativamente pequeño en su propia zona de influencia. Panamá era su principal aliado estratégico en la región, y el único país del área donde Estados Unidos tenía 13,000 soldados en bases militares norteamericanas.

Antes del 6 de junio de 1987, cuando Díaz Herrera convocó su primera conferencia de prensa, Panamá era –por lo menos en la superficie– un país tranquilo que casi nunca le daba dolores de cabeza al gobierno norteamericano. Pueblo de comerciantes y banqueros dados a solucionar sus problemas mediante la negociación, sus habitantes bromeaban con que "Panamá no es una nación, es una transacción". Pero después de aquella denuncia ante la prensa, este plácido país no volvería a ser el mismo: el coronel había expuesto ante el mundo la corrupción del régimen militar panameño, que era objeto de numerosos rumores pero que nadie hasta entonces había logrado probar con ejemplos específicos, y menos desde adentro.

¿Qué fue lo que llevó al jefe de estado mayor de Noriega a volverse contra su jefe? La verdadera historia de la lucha interna –emocional y profesional– que llevó a Díaz Herrera a rebelarse nunca había salido a la luz. Se trata de un testimonio que demuestra que, a pesar de lo que frecuentemente suponemos, los grandes acontecimientos históricos no se deben únicamente a luchas ideológicas o pugnas de intereses económicos. Los choques de personalidad, el azar y el esoterismo jugaron un rol preponderante en el desencadenamiento de la actual crisis panameña.

Por supuesto, la vocación política y los principios éticos del coronel Díaz Herrera tuvieron mucho que ver con su decisión de denunciar a Noriega. Estaba frustrado por el estancamiento de su carrera e indignado por la corrupción reinante alrededor suyo. Pero lo que le dio al coronel el último empujón para rebelarse fue la influencia combinada de un peculiar grupo de consejeros personales. No se trataba de los típicos analistas militares o políticos, siempre listos para responder a cada emergencia con una lista de opciones. Sus consejeros eran de otro tipo: una espiritista de Los Ángeles; una guía espiritual rusa residente en Buenos Aires, que podía comunicarse con su maestro en la India fijando la vista en el anillo de uno de sus dedos; una masajista miamense dedicada al espiritismo que colocaba a sus clientes en medio de un círculo de velas encendidas; un curandero holístico que diagnosticaba las dolencias de sus pacientes midiendo sus fuerzas en pulseadas con ellos; y un gurú de la India que según sus seguidores producía cenizas mágicas con sólo levantar su dedo índice y trazar un círculo en el aire.

En los buenos tiempos de Panamá, a nadie le había importado demasiado que los militares dirigieran el país, que las elecciones fueran rutinariamente fraguadas para colocar en el poder al candidato de las fuerzas armadas, que los bancos lavaran millones de dólares de los narcotraficantes colombianos, o que los comerciantes panameños hicieran fortunas reexportando productos made-in-USA a Cuba, sacándole partido al embargo comercial norteamericano a la isla. El gobierno de Estados Unidos se hacía el distraído, satisfecho de que Panamá permaneciera en paz, y que el Canal de Panamá se mantuviera inmune a las conmociones políticas que acechaban a países cercanos como Nicaragua o El Salvador. Pero entonces vino Díaz Herrera y su conferencia de prensa, y todo se fue al traste.

Díaz Herrera y Noriega no parecían estar condenados a ser adversarios. Al contrario, ambos venían de familias de clase media baja, y habían estudiado juntos en la escuela militar de Perú a fines de los años cincuenta. Se conocían desde hacía 28 años, habían escalado posiciones juntos en la jerarquía militar panameña, participando –y beneficiándose– de la transformación gradual de las fuerzas armadas desde un cuerpo policial al que sólo acudían los hijos de campesinos y empleados pobres, a la institución más poderosa del país.

Cuando Díaz Herrera conoció a Noriega, el general era un muchacho bajito, tímido, que –como el propio Díaz Herrera– debía estar en guardia constantemente para no ser avasallado por los otros cadetes, más altos y musculosos. Noriega mide cinco pies y seis pulgadas. Díaz Herrera, sólo cinco pies y cuatro pulgadas. A sus espaldas, sus compañeros se referían a Díaz Herrera como "El enano". A lo largo de los años, ambos oficiales habían desarrollado una afición por la bebida, y por las mujeres.

Pero Díaz Herrera se consideraba –con cierta justicia– un hombre intelectualmente más sofisticado que Noriega. A menudo, sorprendía a sus interlocutores con citas de Marx o Lenin, aunque después de un tiempo abandonó esta práctica, después de que miembros de la aristocracia política panameña comenzaran a describirlo como comunista. De todos modos, su mente aguda y sus dotes de analista político le permitieron distinguirse en el círculo de oficiales, y Díaz Herrera ascendió rápidamente en la escala militar. Noriega, por otro lado, pudo escalar posiciones gracias a la combinación de su popularidad con la tropa –se pasaba noches enteras bebiendo con sus subalternos– y su habilidad innata para escoger el momento para propinarles una zancadilla a sus rivales.

Mientras Díaz Herrera y Noriega avanzaban en sus carreras, las Fuerzas de Defensa se convertían en un factor de poder cada vez más importante en Panamá. Cuando el líder militar general Omar Torrijos murió en un accidente aéreo en 1981, los militares llevaban ya 13 años manejando el país, y metiendo las manos en sus arcas. Los oficiales que habían visto a sus padres temblar ante la aristocracia ahora se consideraban con el mismo derecho a enriquecerse con el poder.

Poco después de la muerte de Torrijos, los cuatro oficiales de mayor rango que le seguían, incluyendo a Noriega y a Díaz Herrera, habían hecho un acuerdo para dividirse el pastel. El general Rubén Darío Paredes, un hombre robusto y emotivo, apasionado por la política, acordó ejercer el puesto de comandante militar por dos años, para luego postularse a la presidencia en los comicios de 1984. Según lo acordado, Noriega sucedería a Paredes como jefe militar, y apoyaría su candidatura presidencial. Después de la victoria de Paredes –no había duda de que ganaría, ya que los militares dictaban las normas electorales, contaban los votos, y podían fabricar los resultados a su antojo– el dúo Paredes-Noriega gobernaría por cuatro años. Al final de este periodo, Díaz Herrera sucedería a Noriega como comandante militar, y apoyaría la campaña presidencial de Noriega.

En una espléndida ceremonia celebrada el 12 de agosto de 1983, en la que Noriega había recibido la comandancia de las Fuerzas de Defensa, el flamante jefe militar le dio un fuerte abrazo a su predecesor y le dijo: "Buen salto, Rubén". Flor de salto. La frase se convertiría poco después en una broma generalizada para cualquier circunstancia en Panamá. Es que pronto se hizo evidente que Paredes había dado un salto al vacío: Noriega no le daría el apoyo prometido. Sin el apoyo económico y logístico de las fuerzas armadas, la candidatura de Paredes era un salto sin paracaídas. No tuvo más remedio que retirar su candidatura al poco tiempo.

De allí en adelante, Noriega consolidó su poder y se autogalardonó como el primer general de cuatro estrellas en la historia de Panamá. Díaz Herrera se convirtió en el segundo oficial de más alto rango de las Fuerzas de Defensa. Juntos, llevarían las riendas del régimen panameño.

Como todos los altos oficiales del ejército, Díaz Herrera había amasado una fortuna gracias a su posición. Su negocio personal era vender visas panameñas a cubanos desesperados por salir de la isla, que eran pagadas en dólares por exiliados para ayudar a emigrar a sus familiares. Y también había hecho lo suyo para ayudar a Noriega a consolidar su poder. Díaz Herrera había sido el encargado de alterar los resultados de las elecciones de 1984, para asegurar la elección del banquero Nicolás Ardito Barletta, el candidato compartido por Noriega y el gobierno de Estados Unidos.

Sin embargo, la sociedad entre Noriega y Díaz Herrera en el poder estuvo amenazada desde el vamos. Entre ambos hombres, había una tensión subterránea que venía desde sus días de compañeros de estudios. Díaz Herrera siempre había menospreciado a Noriega, considerándolo un bruto, el tipo de bravucón que, pasado de copas, disparaba su pistola al aire para impresionar a sus compañeros. Noriega, a su vez, veía a Díaz Herrera como un presumido que se daba aires de intelectual. La fricción entre ambos se había acentuado, como muchas veces ocurre, por sus respectivas mujeres. La de Noriega, Felicidad, era una mujer de aspecto matronal, de más de 50 años y que estaba obsesionada con las constantes infidelidades de su marido. No había perdonado a Díaz Herrera que se hubiera divorciado de su primera mujer, la madre de sus cuatro hijos. Díaz Herrera se había casado con Maigualida, una atractiva venezolana de apenas 30 años. Maigualida había dado que hablar desde el primer instante entre las mujeres de los altos oficiales panameños: joven, sofisticada y exótica, se había convertido de inmediato en el centro de atención de las mujeres de los militares en sus almuerzos de caridad. Felicidad, que había sido amiga de la primera mujer de Díaz Herrera, la había mantenido a distancia desde el principio.

Noriega no tardó en contagiarse de esta frialdad. En la primavera de 1986, Díaz Herrera empezó a notar que Noriega lo esquivaba cuando podía. Tras asumir la comandancia, Noriega le redujo sus funciones de jefe de estado mayor de las Fuerzas de Defensa, con mando de tropa, para convertirlo en encargado de asuntos políticos. En otras palabras, un general de escritorio. El contacto de Díaz Herrera con la tropa –la verdadera fuente de poder en el mundo militar– se redujo al mínimo. A menudo, el nuevo jefe de asuntos políticos le pedía a Noriega permiso para inspeccionar cuarteles en los rincones más remotos del país, con la esperanza de renovar sus lazos de amistad con comandantes regionales, y darse a conocer entre los oficiales más jóvenes. Pero Noriega siempre encontraba una excusa para mantener a su segundo en la capital.

Díaz Herrera también estaba perdiendo puntos ante los demás miembros del estado mayor militar. En sus primeros meses como jefe de estado mayor, había presidido las reuniones de todos los días a las 9 de la mañana de los altos mandos en la sala de conferencias junto a la oficina de Noriega, en el segundo piso del cuartel central de las Fuerzas de Defensa. El coronel decidía la agenda de la reunión, anunciaba su comienzo, y dirigía el debate. Sin embargo, en los últimos tiempos Noriega había comenzado a llegar tarde a las reuniones matinales, o a faltar a las mismas. En su lugar, comenzó a juntarse para almorzar en el casino de oficiales con algunos de los militares de más alto rango, y a discutir allí, informalmente, los asuntos más importantes del día. Hacia 1985, los miembros del alto mando militar daban por sentado que el momento clave para codearse con el comandante era el almuerzo. La reunión diaria de las 9 de la mañana terminó siendo cancelada.

A principios de octubre de 1986, deprimido por su paulatina pérdida de poder y su poco auspicioso futuro profesional, Díaz Herrera sintió la necesidad de tomarse unas vacaciones. Además, Maigualida le había estado suplicando desde hacía tiempo que se tomaran un tiempo para ellos solos. Quería viajar a Buenos Aires, ir una noche al teatro de variedades Maipo, bailar el tango en la humareda de los bares del barrio colonial de San Telmo, comer un jugoso bife de lomo en el boulevard de la Costanera.

De manera que Díaz Herrera le pidió al jefe de la fuerza aérea panameña, comandante Lorenzo Purcell, que aprestara un avión para un viaje a Buenos Aires. Se le dio el mejor: el Boeing 727 de la fuerza aérea, con 150 asientos, exclusivo para usos oficiales. No había nada demasiado inusual en el hecho que un alto funcionario militar y su esposa tomaran prestado un

Boeing 727 del gobierno para un viajecito de placer. Eran beneficios tácitos que venían con el cargo.

El concepto de corrupción había desaparecido desde hacía mucho tiempo del vocabulario militar. Las Fuerzas de Defensa de Panamá eran la máxima garantía de la soberanía nacional, y prácticamente no había retribución suficiente para compensar semejante responsabilidad. Los miembros del alto mando militar y sus principales ayudantes importaban carros Mercedes Benz a precio de fábrica mediante permisos especiales del ministerio de finanzas para que no pagaran impuestos de importación, y llevaban a sus familias de vacaciones a Disney World con pasajes gratis de la aerolínea nacional panameña, Air Panamá. Las Fuerzas de Defensa nombraban, además del presidente, al ministro de finanzas y al director de Air Panamá, de manera que éstos no lo pensaban dos veces antes de complacer los deseos de los altos mandos militares.

El día que los Díaz Herrera llegaron a Buenos Aires, Piero –un cantante de baladas argentino que a través de los años había hecho frecuentes escalas en Panamá y entablado amistad con la pareja– los visitó en su suite del Hotel Sheraton. Después de conversar sobre los acontecimientos del día en Panamá y Argentina, el cantante cambió de conversación y aludió a su "yogui".

Piero le había hablado con frecuencia de la sabiduría infinita de su guía espiritual, una mujer de 87 años llamada Indra Devi, según recuerda el coronel. Y daba la casualidad de que ésta se hallaba en Buenos Aires. Piero les preguntó si querían conocerla.

En tiempos mejores, cuando su carrera militar iba en ascenso y todo parecía indicar que sería el sucesor de Noriega como jefe supremo de Panamá, Díaz Herrera le había dedicado poco tiempo al mundo de lo oculto. Pero siempre le había intrigado, entre otras cosas porque sabía de la importancia que habían tenido los brujos y los cultos secretos en la política panameña. El coronel sabía que Noriega y sus principales asesores creían firmemente en las religiones afrocaribeñas y en la astrología. También había oído decir que Arnulfo Arias, tres veces presidente de Panamá, mantenía un astrólogo permanentemente en el palacio presidencial.

Díaz Herrera, el intelectual, siempre había desdeñado estas creencias de Noriega. Las consideraba supersticiones campesinas, propias de un ignorante como su jefe. Pero esto era diferente: se trataba de filosofías orientales. Habían sobrevivido miles de años, y algunas de las personas más inteligentes del mundo estaban abrazándolas con creciente entusiasmo.

A la noche siguiente, Piero regresó a la suite de los Díaz Herrera en el Sheraton; esta vez, acompañado por una mujer diminuta, envuelta en un sari, la túnica femenina de la India. Su cabello era blanco como la nieve, y tenía una sonrisa eterna. La mujer se inclinó, juntando sus manos horizontalmente, alzó un poco la falda de su sari, y entró en la habitación.

Pasaron varias horas. Ya era cerca de la medianoche, e Indra Devi seguía hablando del concepto hindú del "prana": la energía, o aliento vital, que sustenta la vida en todos los cuerpos físicos. Todos los objetos tienen energía, pero no todos irradian el mismo tipo de energía, decía ella. En ese momento, preguntó si había alguna fruta a mano. El coronel se fijó en una bandeja medio vacía del servicio de habitación, y encontró algunas tajadas de manzana. "Es suficiente", dijo la anciana.

Indra Devi le pidió a Díaz Herrera que se parara delante de ella, extendiera sus brazos en forma paralela al piso, y cerrara los puños. Él lo hizo. La yogui le puso un pedazo de manzana en la mano derecha, y le pidió nuevamente que apretara los puños. Acto seguido, la anciana dijo que ella trataría de empujar hacia abajo la mano vacía del coronel, y le pidió que resistiera la presión con todas sus fuerzas. La mujer puso sus manos sobre el brazo izquierdo del coronel, y empujó hacia abajo. El coronel resistió; su brazo no se movió.

Indra Devi dijo que ahora repetirían la operación, pero con una sustancia impura. Preguntó si alguien tenía un cigarrillo. Maigualida sacó uno de su cartera y se lo dio a la yogui, quien se lo colocó en la mano derecha al coronel, la que anteriormente había sujetado el pedazo de manzana. Esta vez, la yogui presionó hacia abajo el otro brazo del coronel –al parecer, sin emplear más fuerza que la vez anterior– y ocurrió el milagro: después de un segundo, la resistencia de Díaz Herrera se vino abajo.

Todos se echaron a reír. El coronel, intrigado y asombrado, pidió repetir la operación. La repitieron tres veces. La última vez, en vez de un cigarrillo, usaron pan blanco –alimento que la yogui calificó de impuro– y el brazo de Díaz Herrera cedió con igual facilidad.

"Usted debe estar usando hipnosis", protestó Díaz Herrera sin mucho convencimiento.

"De ninguna manera. Esto es lo que es prana. Las cosas puras tienen energía positiva; las impuras, no".

El coronel estaba boquiabierto. Era la primera vez en su vida que había presenciado algo que ni siquiera podía intentar explicar. Parecía hechizado.

Pero Indra Devi sería sólo el primer eslabón de la cadena espiritual del coronel. Resulta que la anciana, según su propia confesión, no era más que una discípula. Les contó a Díaz Herrera y Maigualida que, en el curso de sus muchos viajes a la India, había conocido a los más grandes yoguis y "sadhus", o seres espirituales, del mundo. Pero su vida había cambiado a mediados de los años sesenta, cuando conoció al gran Satya Sai Baba, un verdadero "Avatar": la reencarnación humana de Dios.

Indra Devi les contó que su gurú vivía en un desierto de la India, a aproximadamente tres horas de Bangalore, y que era el primer avatar propiamente dicho después de Krishna, quien vivió hace 5,000 años. A medida que la anciana hablaba de Sai Baba, su cara se iluminaba, e irradiaba una energía que a los ojos de Díaz Herrera la hacía aparecer como una mujer en plena juventud.

"Sus poderes están más allá de nuestra comprensión", dijo ella. "Él puede hacer desaparecer los arco iris, sanar enfermos, materializar toda clase de objetos; leer el pasado, presente y futuro de cualquier persona; y transformarse en formas humanas o no humanas. Inclusive, puede estar en dos lugares al mismo tiempo".

El coronel asintió con la cabeza. Le impresionaba el hecho de que no estaba escuchando estas cosas de boca de una adolescente confusa y ansiosa por creer en algo, sino de una anciana que hacía gala de un enorme refinamiento intelectual y gran paz interior.

Sai Baba, según relató la anciana, había nacido en un pueblo remoto de la India en 1926, y empezó a realizar milagros desde niño. De acuerdo con los pobladores de su aldea, los instrumentos musicales en la casa de su familia comenzaron a sonar por sí solos el día de su nacimiento. Poco después, una cobra gigantesca se metió entre las sábanas de su cuna, pero la víbora no mató al bebé. Pronto se hizo evidente que el niño era diferente a los demás. Aunque su familia comía carne, él sólo comía vegetales. En la escuela, divertía a sus compañeritos sacando dulces de bolsas llenas de aire. En su tiempo libre, traía mendigos a su casa para darles de comer, o ayudaba a los pobres como pudiera.

A los 13 años, Satyanarayana –ése era el nombre que sus padres le habían puesto– cayó en lo que pareció ser un estado de coma. Cuando despertó, era otra persona. A menudo caía en trances, y disertaba sobre escrituras sánscritas de las cuales nunca había escuchado hablar. Dos meses después, comenzaron a juntarse multitudes frente a la casa del joven. Satyanarayana hacía aparecer naranjas y caramelos del aire. La gente comenzó a arrodillarse ante él, y a llamarlo "Avatar".

Fue entonces cuando el joven anunció su revelación. "Yo soy Sai Baba", dijo. Sai Baba de Shridi había sido un venerado sabio y santo que murió ocho años antes del nacimiento de Satyanarayana. Antes de su muerte, le había dicho a sus discípulos que volvería mediante una reencarnación ocho años después de su muerte, con poderes aún más grandes.

El nuevo Sai Baba abandonó su aldea natal y comenzó a predicar en todo el país. Actualmente, tiene más de 30 millones de seguidores en la India y numerosos países occidentales.

"¿Alguna vez lo vio hacer algún milagro?", preguntó Maigualida a la anciana.

"Muchos", respondió Indra Devi con la mayor naturalidad.

Sai Baba, contó la anciana, sólo necesita girar su mano derecha en círculos para producir vibhutti, una ceniza sagrada con poderes mágicos. En una oportunidad, había hecho aparecer una urna metálica llena de vibhutti ante ella, haciendo círculos concéntricos con la mano. Luego, le dijo que la urna nunca se vaciaría. Y resultó cierto: Indra Devi contó que, con el correr de los años, ella había entregado gran cantidad de las cenizas sagradas a los enfermos y a los desesperados, pero que la urna siempre se volvía a llenar por sí misma.

Las vacaciones de los Díaz Herrera en Buenos Aires se convirtieron en algo parecido a un retiro espiritual. Se pasaron mucho tiempo en las oficinas de Indra Devi. Fue allí donde Díaz Herrera conoció a Shama Calhoum, una vidente californiana. Díaz Herrera se sintió fascinado por ella desde el primer momento. Tenía una suave piel morena, ojos gatunos, una mirada intensa y largas cejas que evocaban las imágenes de las reinas egipcias.

El coronel y su mujer pronto le dieron a la vidente el sobrenombre de "La Gringa". Díaz Herrera esperaba ansiosamente, con divertida curiosidad, que La Gringa le predijera su futuro. La oportunidad se presentó una noche, después de una cena con el matrimonio Díaz Herrera.

Despues de unos ejercicios de relajación, en que La Gringa les pidió a todos que trataran de distinguir las energías positivas de las negativas, la vidente se sentó en la mesa frente al coronel. Le pidió a Díaz Herrera que la mirara y fijara su vista en un punto ligeramente más arriba de su entrecejo –donde ella decía estaba situado su tercer ojo.

"Fija tu vista en ese punto por espacio de unos minutos, de manera que yo pueda examinar tu aura, tu campo magnético", dijo ella. La Gringa estudió cuidadosamente al coronel.

Primero observó el aire que rodeaba su cabeza, sus hombros, sus brazos y su cintura, y luego centró la vista en él, o a través de él, con una mirada vacía. Finalmente, habló:

"Tú tienes una gran misión en la vida. Una gran causa está pidiendo tu ayuda", comenzó. Los otros en la habitación acercaron la cabeza para escuchar mejor, observando la escena en silencio.

"No puedo ver muy claramente qué es, pero involucra a mucha gente, miles, decenas de miles, tal vez millones". Hizo una pausa, levantó su vista sobre la cabeza del coronel, como si buscara en su aura algo que había pasado por alto.

"Veo una guerra, una gran guerra", continuó. "Te verás involucrado en una gran batalla. No hay nada que puedas hacer para evitarlo. Está claro en tu futuro. Es una lucha que exigirá toda tu energía. No esperes ganar a corto plazo. Debes estar preparado para que el mundo te vea como el perdedor, aunque a la larga serás el ganador".

Después, mirándolo a los ojos, dijo: "No te preocupes, estarás bien cuando todo termine. Ten fe, mucha fe. Al principio parecerá que has perdido la batalla, pero cuando todo termine habrás salido victorioso".

La visión de La Gringa sacudió a Díaz Herrera. No sabía qué pensar, pero le pareció que la espiritista había visto algo real y verdadero. La Gringa no parecía saber mucho sobre Panamá o sobre su jerarquía en las Fuerzas de Defensa. Y tampoco parecía tener la menor idea de quién era el jefe militar de Panamá. Pero el coronel no dudaba de que el hombre que había aparecido como enemigo en la visión de la espiritista era Noriega, su jefe.

A Díaz Herrera no se le había cruzado jamás por la mente la idea de confrontar públicamente a Noriega. En Panamá, las disputas entre militares se resolvían de otra manera: si un coronel entraba en conflicto con su comandante pero respetaba las reglas de juego, terminaba asignado a la embajada de Panamá en algun país extranjero, donde podía hacer millones vendiendo pasaportes panameños por debajo de la mesa. Sin embargo, esa noche, Díaz Herrera se preguntó por primera vez si aceptaría un arreglo semejante.

En el avión, a su regreso a Panamá, y consternado por sus experiencias vividas durante el viaje, Díaz Herrera abrió el libro que había recibido de Indra Devi, una traducción al español del libro *Sai Baba, El Santo y el Psiquiatra*, del doctor Samuel H. Sandweiss. No lo pudo soltar. Un párrafo en especial le hizo detener la lectura. Parecía tener un mensaje especial para él. Decía: "Debes internarte hondo en la mar para llegar a las perlas", le había dicho el gran Sai Baba en una ocasión a sus discípulos. "¿Qué sentido tiene chapotear entre las olas cerca de la superficie, y jurar que no hay perlas en el mar, y que todas las historias sobre ellas son falsas? De modo que, si quieres recibir los frutos de este Avatar, sumérgete profundamente y entrégate a Sai Baba".

Hacia principios de 1987, Díaz Herrera estaba más concentrado en explorar las profundidades de su alma que en cumplir las rutinarias funciones burocráticas en la comandancia. Se convirtió en un ser cada vez más solitario. A la hora del almuerzo, mientras los otros coroneles y sus ayudantes se iban a comer chicharrones de pollo y otros platos fritos al casino de oficiales, Díaz Herrera comía solo en su oficina de la planta baja. Frecuentemente, se lo veía con la mirada ausente, casi perdida en el espacio. Cuando notaba que algún otro oficial lo estaba observando con curiosidad, bromeaba: "A ti no te haría mal una sesión de meditación". Pero el comentario no le salía con mucha gracia. El coronel estaba perdiendo su sentido del humor.

Poco después del año nuevo, Díaz Herrera viajó a Miami para visitar a un amigo en Miami Beach. Quería descansar. Por las mañanas, caminaría por las playas. Luego, dormiría una siesta, y hacia el atardecer leería por segunda o tercera vez el libro sobre el Sai Baba.

Al tercer día de su estancia en Miami, Díaz Herrera revisó las páginas amarillas del directorio telefónico de Southern Bell, en busca de una masajista. No quería una de las tantas profesionales del sexo que anunciaban sus servicios como masajistas, sino una terapeuta en serio, que le ayudara a relajar las tensiones que se anudaban en su espalda. Si resultaba bonita, mejor. Escogió un aviso que le pareció más serio que los demás, y dejó un mensaje en la contestadora telefónica, lo mejor que pudo en su rudimentario inglés.

Al poco rato, una mujer le devolvió la llamada, hizo varias preguntas, y se explayó durante un minuto o dos sobre algo que el coronel no pudo entender. Finalmente, la masajista le dijo que viniera a su apartamento. Vivía en un edificio cerca de Brickell Avenue, la avenida costera donde están los principales bancos internacionales de Miami y varios rascacielos de apartamentos de lujo. La mujer no abrió la puerta electrónica del edificio, sino que bajó a la planta baja e inspeccionó a su cliente antes de invitarlo a entrar. Luego abrió la puerta, y lo hizo pasar. Su nombre era Pamela. Debía tener unos 35 años, según calculó el coronel. No era una mujer particularmente atractiva, pero tenía su gracia.

Su pequeño apartamento parecía un templo esotérico. Era como un mundo aparte del resto de Miami, donde las fachadas de cristal de los edificios y el sol radiante del mediodía producían un destello casi enceguecedor. El lugar estaba totalmente oscuro. Tanto, que el coronel tuvo que cerrar los ojos para ajustarse a la nueva atmósfera. Una gruesa neblina de incienso llenaba el ambiente.

La mujer prendió varias velas alrededor de la camilla donde yacía el coronel, y comenzó a ablandarse los dedos. Lo que siguió fue el mejor masaje que el coronel había recibido en su vida. Los dedos de la mujer parecían tener vida propia, deslizándose por su espalda y sus piernas con una combinación de energía, rapidez y suavidad.

Díaz Herrera regresó al apartamento de Pamela a la mañana siguiente, y nuevamente un día después. Al regresar a Panamá, una de las primeras cosas que hizo fue invitar a Pamela a que lo visitara. Le envió un pasaje de ida y vuelta por Air Panamá, y un certificado para hospedarse con todos los gastos pagados en el Hotel Continental del centro de la ciudad, como cortesía del estado de Panamá. Nada de esto constituía un problema para Díaz Herrera: simplemente pasaba todos los gastos al Departamento G-3 de las Fuerzas de Defensa, también conocido como la Oficina de Administración y Presupuesto. No tenía que dar explicaciones a nadie: después de todo, era el jefe de estado mayor, y como tal estaba al mando del G-3.

Pamela se registró en el hotel, pero pasó la mayor parte de su tiempo en la casa de los Díaz Herrera. Durante sus sesiones de masaje, utilizaba muchos de los términos hindúes que la pareja panameña había escuchado en sus reuniones con Indra Devi en Buenos Aires. A la hora del almuerzo, antes de sentarse a la mesa, Pamela se alejaba brevemente a una habitación contigua para meditar por espacio de cinco minutos. Convenció al coronel de que, si uno medita antes de las comidas, los músculos del estómago se relajan, y la comida es digerida con mayor facilidad. Los empleados domésticos de los Díaz Herrera recibieron la orden de desconectar todos los teléfonos de la casa durante las visitas de Pamela. La conversación durante las comidas debía ser interesante y relajada, lo que se dice una experiencia placentera. "Date un rato para ti mismo, y gózalo", le decía Pamela al coronel.

A principios de febrero, poco después de que Pamela regresara a Miami, Díaz Herrera sintió la necesidad de pedirle a La Gringa que fuera a Panamá como su invitada. Como su huésped anterior, tendría todos los gastos cubiertos por las Fuerzas de Defensa de Panamá. El coronel le pidió a Chuchu Martínez –un asesor militar de la izquierda bohemia, conocido en todo el mundo por haber sido el personaje principal del libro *El General*, de Graham Greene– que le sirviera de intérprete en el llamado internacional.

Chuchu había aceptado de buena gana. Divertido, le dijo al coronel: "Tú y tu bruja me están volviendo loco. ¿De veras crees en todas estas bobadas?"

"Ah, sí. ¿Por qué no la pones a prueba?", contestó el coronel. "Pregúntale algo sobre tu vida, y después me cuentas..."

Una vez concluido el llamado telefónico, y un largo intercambio en inglés que el coronel no alcanzó a entender, Chuchu meneó la cabeza con una sonrisa escéptica y le dijo a Díaz Herrera: "Esta boba me dijo que tengo un dolor fuerte en el ojo izquierdo, que me duele mucho. Son pendejadas: Mi ojo no me duele para nada. Me temo que tu vidente es una impostora".

Sería la última vez que Chuchu se burlaría de La Gringa, según se jactaría luego Díaz Herrera. Algunas semanas después de la conversación telefónica, Chuchu llegó a la comandancia con un parche de gasa blanca en el ojo izquierdo. Se lo acababan de operar.

La Gringa llegó a Panamá a mediados de febrero, en el primero de tres viajes que haría al país en los próximos cuatro meses. Se cambió de ropa en el hotel, y fue directamente a la oficina de Díaz Herrera en la comandancia. En cuanto llegó, preguntó quién era el hombre cuya fotografía pendía de la pared, detrás del escritorio del coronel. Era "Tony" Noriega. Dijo que necesitaba una foto en blanco y negro de Noriega, y otra de Torrijos.

Esa noche, en la sala de estar de la casa de Díaz Herrera, La Gringa y el coronel estaban sentados una vez más frente a frente, con el coronel concentrando su mirada fijamente en el "tercer ojo" de La Gringa, y ella escrutando su aura recorriendo con la vista el entorno de su cuerpo. La Gringa comenzó hablando sobre las vidas pasadas del coronel: vio por lo menos tres encarnaciones previas. En una de ellas, vio a alguien con un parecido a Alexander Pushkin, el célebre escritor ruso del siglo XIX. Díaz Herrera jamás había escuchado hablar de Pushkin, y corrió a buscar su enciclopedia apenas La Gringa se despidió de él aquella noche. Se trataba del padre del romanticismo ruso, un hombre que había colocado el idealismo por encima de todos los valores. Interesante, pensó el coronel.

"Noriega es tu enemigo", dijo La Gringa en la siguiente sesión. "Él es el hombre del que yo te hablé en Buenos Aires. Es un hombre malo, y hará todo lo que esté en su poder para destruirte".

La Gringa observó más de cerca. "La gran guerra de la que hablamos se me está haciendo más clara ahora. Es entre tú y él. Comenzará pronto. No sé cuándo, pero será pronto".

Como era su costumbre, la vidente terminó la sesión con un comentario positivo. Díaz Herrera pasaría por momentos de desesperación, y perdería varias batallas. Pero al final, ganaría la guerra, y viviría el resto de su vida con la satisfacción de haber cumplido su deber honrosamente. Le aconsejó no preocuparse en demasía. Las fuerzas del bien estaban con él.

Para ese entonces, Díaz Herrera ya estaba pensando seriamente en enfrentarse con Noriega. Había estado escuchando cada vez más rumores de que Noriega y su camarilla estaban involucrados en el tráfico de drogas. Asimismo, estaba convencido, por comentarios que había escuchado de militares compañeros suyos, de que Noriega había ordenado personalmente la decapitación del ex ministro de Salud Hugo Spadafora, el carismático ex guerrillero panameño que luchó con los sandinistas en Nicaragua, y que se había convertido en enemigo acérrimo del general.

Para Díaz Herrera, conseguir exenciones impositivas para importar autos de lujo o utilizar aviones militares para viajes de placer eran pecados menores, tolerables. Pero el tráfico de drogas y el asesinato político eran otra cosa. La codicia y la ambición política del comandante se estaban pasando de la raya. Alguien tenía que detenerlo.

Mientras tanto, Noriega estaba recibiendo informes de las excursiones místicas de Díaz Herrera. No le gustaba lo que estaba oyendo. No es que temiera que su jefe de estado mayor se estuviera volviendo loco –o, por lo menos, no era ésa su preocupación principal–. Lo que más temía, aunque no lo admitiera así ante sus ayudantes, es que el coronel utilizara a una bruja con poderes extraordinarios para hacerle un maleficio.

Noriega creía firmemente en el mundo de lo oculto. Su hermano Luis Carlos, quien había muerto recientemente, había sido un ávido estudioso de la santería y las religiones orientales. El propio comandante había aprendido las técnicas de concentración –y su importancia– en la escuela de karate. Orgulloso de su cinturón negro, sabía que el poder de la mente era la clave de un movimiento efectivo. Noriega también había leído textos básicos de hinduismo y budismo. En una ocasión, manifestó públicamente que su religión era el budismo.

Por esas coincidencias de la vida, ocurrió que un viejo amigo de Noriega, el astrólogo profesional brasileño Iván Trilha, que vivía en Miami, estaba visitando Panamá a principios de 1987, por la misma época en que comenzaban a llegar a oídos de Noriega las historias sobre los experimentos espirituales de Díaz Herrera.

Trilha había llamado a Noriega inmediatamente después de llegar, aunque sólo fuera para saludarlo y asegurarse de que el general se hiciera cargo de su cuenta del hotel. Trilha había conocido a Noriega desde 1975, y el general le confirió una condecoración y una carta de recomendación, declarándolo huésped de honor de Panamá.

La distinción no tenía nada de extraordinario en su caso, solía decir Trilha: había recibido 46 condecoraciones de varios países, y tenía a varios presidentes latinoamericanos entre sus clientes. Parte de la fama de Trilha se basaba en haber predicho, cuando apenas tenía 12 años, que el presidente norteamericano John F. Kennedy sería asesinado. Años después, había predicho la caída y la muerte del presidente chileno Salvador Allende.

Como de costumbre, el general invitó a Trilha a la comandancia. Hablaron de política e intercambiaron anécdotas de viajes durante varias horas, mientras bebían whisky escocés en el bar del comandante. Al anochecer, como por casualidad, el general le preguntó a su huésped por Díaz Herrera, Panamá, y por su propio futuro.

Trilha sacó un mapa astrológico de su maletín, y lo puso sobre el escritorio de Noriega. Él sabía que Noriega era un acuariano, así que fue directamente al grano.

"No debiera preocuparse demasiado", dijo Trilha después de examinar la carta cuidadosamente. "Usted está guiado por una línea de Saturno a Venus. Saturno le da poder espiritual y fuerza. Venus, claridad mental, intuición, y capacidad de percepción. Usted tiene un campo de protección bastante fuerte".

Tampoco debía perder el sueño por Díaz Herrera, dijo Trilha. El coronel estaba recibiendo consejos de una "bruja menor", que lo había llevado a un estado paranoico, dijo el brasileño. Díaz Herrera estaba perdiendo su equilibrio mental, continuó. Era el coronel, no Noriega, el que se vería en grandes problemas.

Noriega se sintió aliviado, pero no convencido del todo.

Días después, Noriega se enteró de que había llegado a la ciudad una nueva invitada de Díaz Herrera. Se trataba de una espiritista norteamericana de Los Ángeles. Noriega la hizo investigar. Quería saber qué es lo que estaba tramando.

Después de pasarse una semana con los Díaz Herrera, La Gringa decidió darse una vuelta por el interior de Panamá. El coronel le había sugerido que visitara la isla de Coiba, uno de los lugares más hermosos del país, y el menos arruinado por el turismo. Díaz Herrera dio órdenes de que se le facilitara un jet pequeño para el viaje, y una escolta. Era una isla prácticamente desierta. El edificio más grande era la cárcel, la más conocida de Panamá. Díaz Herrera llamó al jefe militar de la prisión de Coiba, capitán Mario del Cid, y le pidió que ayudara a la norteamericana en todo lo que necesitara.

Esa noche, Del Cid hizo lo imposible por complacer a la visitante. La invitó a cenar en el comedor de oficiales de la prisión, pidió el mejor vino, y se esmeró en ofrecer la mejor conversación. Aunque Del Cid y su hermano Luis se enorgullecían de formar parte del círculo íntimo de Noriega –Luis del Cid sería conocido posteriormente como el único militar acusado junto con Noriega por narcotráfico en una corte de Miami–, el capitán afirmó ser un gran admirador de Díaz Herrera.

El jefe de la prisión también estaba profundamente interesado en astrología, religiones orientales y fenómenos místicos. Le preguntó a La Gringa si podía especificarle qué poderes tenía. Díaz Herrera nunca supo exactamente qué le respondió La Gringa, pero estaba seguro de que su respuesta había sido transmitida inmediatamente y con lujo de detalles a Noriega, y que probablemente también se le había suministrado al general una grabación magnetofónica de la conversación.

El siguiente en la lista de guías espirituales que desfiló por la casa de los Díaz Herrera –también invitado con todos los gastos pagados por las Fuerzas de Defensa de Panamá– fue Lloyd. Era un nutricionista nacido en Nueva Zelanda, que vivía en Los Ángeles y se especializaba en medicina holística. Había sido recomendado por La Gringa. Esta última, invitada a regresar a Panamá, le había dicho a Díaz Herrera que no podría viajar en las próximas dos semanas, y le sugirió que invitara a Lloyd a visitar el país durante ese tiempo, hasta que ella pudiera venir. Lloyd recibió un pasaje de ida y vuelta, la acostumbrada suite en el Hotel Continental, y honorarios de 300 dólares diarios por sus servicios.

En su primera noche en Panamá, tras la cena en casa de los Díaz Herrera, Lloyd hizo sentar al coronel con los codos sobre la mesa. Lloyd se sentó a su lado, en la misma posición, y le tomó la mano derecha, como si fueran a enfrascarse en una pulseada. Acto seguido, el médico holístico comenzó el ejercicio: nombraría a varias personas, y el coronel debía mantener su brazo firme.

Lloyd empezó por nombrar a Maigualida, y el brazo del coronel no retrocedió un ápice. Luego continuó con los nombres de sus hijos, uno por uno, y el de su padre. El brazo del coronel se mantuvo firme. Después, Lloyd mencionó a la madre de Díaz Herrera, y el brazo del coronel se desplomó.

No había magia alguna en lo que acababa de ocurrir, explicó Lloyd. "Es la mente la que envía las órdenes a tus músculos. Si un problema se te cruza por la mente, hay una interferencia, y la orden no puede ser cumplida cabalmente. Obviamente, tienes un problema con tu madre."

Era cierto. La madre de Díaz Herrera había fallecido mientras éste cursaba sus estudios militares en Perú. Lloyd señaló que el coronel nunca se había perdonado el no haber estado junto a ella en el final de su vida. Eso era un error, le dijo al coronel. Díaz Herrera estaba cumpliendo con su deber al seguir sus estudios en el extranjero. No tenía por qué sentirse culpable de ello.

Lloyd le pidió a Díaz Herrera que se encerrara en su habitación, y le escribiera una carta a su madre fallecida. Que le escribiera lo que quisiera, lo primero que le viniera en mente. No le tendría que decir a nadie lo que había escrito. Y una vez que terminara de escribir la carta, la tendría que leer, y luego destruirla. El coronel fue a su habitación, e hizo lo que le pidieron. Por primera vez en su vida adulta, lloró.

En otra sesión, Díaz Herrera le preguntó a Lloyd cuál era la bebida alcohólica que menos daño le hacía. Lloyd le respondió que debería dejar de beber del todo, pero que encontraría de todos modos alguna bebida que le sentara mejor que las demás. El visitante realizó su búsqueda mediante una variante horizontal de su técnica de diagnóstico por vía de pulseadas.

Lloyd le pidió que se acostara en la cama, se quitara la camisa, se quedara tieso, y levantara su brazo derecho. El paciente debía, como antes, mantener el brazo firme, y tratar de resistir la presión del brazo del médico. Lloyd colocó un botella de whisky sobre el vientre del coronel. La mano de Lloyd venció la resistencia de su paciente sin mucho esfuerzo. Repitieron el ejercicio con una botella de vino, y la mano del coronel se vino abajo nuevamente, sin ofrecer mucha resistencia. Luego lo hicieron con una botella de vodka, y la mano del coronel se mantuvo firme por unos segundos, antes de caer vencida. Obviamente, si era imprescindible que el coronel bebiera alguna bebida alcohólica, debía beber vodka.

La siguiente invitada del coronel, en abril, fue Indra Devi. Permaneció un mes y medio, esta vez alojada en la casa de la suegra de Díaz Herrera. La oficina del coronel en la comandancia de las Fuerzas de Defensa organizó las actividades diarias de

Indra Devi, incluyendo presentaciones en televisión y visitas al hospital de niños y otras instituciones de caridad.

Por las noches, la octogenaria yogui cenaba en casa de los Díaz Herrera, y los anfitriones frecuentemente invitaban un selecto grupo de amigos para compartir sesiones de meditación después de comer.

En esas largas noches de exploración espiritual, Indra Devi se explayó sobre los placeres de la vida ascética. Les dijo a sus anfitriones que vivían demasiado pendientes de sus autos BMW, de sus videograbadoras y sus otras posesiones materiales. Era como si estuvieran viviendo para sus bienes terrenales. Una noche, leyó un pasaje de un discurso de Sai Baba que impactó a todos los presentes:

"En nuestro país hay un método peculiar para atrapar monos", había dicho el Avatar. "Consiste en tomar una olla grande con un orificio pequeño en la punta, y poner en ella algo que atraiga al mono. El mono introducirá su mano en la olla y asirá un puñado de lo que allí se encuentre. Entonces, no podrá sacar su mano de la olla. Se imaginará que alguien dentro de la olla le está reteniendo la mano. Nadie está asiendo al mono. El mono se ha atrapado a sí mismo, porque ha agarrado tanto material. En cuanto lo suelte, estará libre."

De la misma manera, los hombres quedan atrapados por sus posesiones materiales, dijo Indra Devi, citando al Avatar. Las personas creen que hay fuerzas que las atan a sus posesiones, pero nadie sino ellas son responsables de su esclavitud. "En cuanto uno renuncia a los placeres y se separa de ellos, uno se libera", dijo.

El coronel ya llevaba meses librando una batalla interna entre su pasado y las nuevas influencias místicas que lo estaban cautivando. En un lado de su ser estaba el frío raciocinio y la capacidad de análisis que siempre lo habían caracterizado, y que tanto le habían servido en su carrera profesional. En el otro, el descubrimiento de un mundo esotérico que contenía verdades profundas que apenas se le estaban revelando. Pronto debía tomar una decisión. Su lado racional le aconsejaba aceptar las reglas del juego, y encaminarse a un retiro cómodo y bien recompensado. Pero su lado espiritual –y sus guías– lo llamaban a la rebelión. Lo conducían a una guerra abierta contra el hombre más fuerte de Panamá, el único a quien probablemente no podría vencer, en una confrontación en la que podía perder hasta su vida.

A pesar de sus temores, su decisión se le estaba haciendo cada vez más clara, según recuerda ahora el coronel. Si un enfrentamiento público con Noriega le costaba perder su nombramiento de embajador en algún país apetecible, o que le quitaran su mansión en Altos del Golf, o su Mercedes Benz, o que incluso pusiera en riesgo su vida, que así fuera. Estaría en paz consigo mismo, y eso era lo que más le importaba.

En el último día de su visita, Indra Devi le pidió a Díaz Herrera que la acompañara a su habitación. Quería un breve encuentro a solas con él. El coronel la siguió, se sentó en la cama, y la anciana se paró frente a él. Indra Devi lo iba a bendecir.

En su mano, la mujer llevaba un anillo con una piedra preciosa, que le había dado el Sai Baba, a través del cual se podía comunicar con el Avatar desde cualquier parte del mundo. Llevaba el anillo al revés, con la piedra hacia el interior de la mano, y lo estaba mirando fijamente. A través del anillo, la anciana recibió autorización del Swami para darle un mantra especial al coronel. El mantra consistía en tres frases en hindú, que protegerían a Díaz Herrera en el futuro. La mujer cerró los ojos, colocó sus manos sobre su cabeza, y recitó: "Rama, Rama,

Rama". El coronel, sentado con la cabeza gacha, cerró los ojos y repitió: "Rama, Rama, Rama".

Hacia finales de mayo, cuando La Gringa regresó a Panamá, Díaz Herrera se enteró de su conversación de sobremesa con el capitán Del Cid, en la isla de Coiba. El coronel montó en cólera. Noriega primero lo había relevado del mando de tropas y lo había relegado a un cargo burocrático. Después, empezó a evitarlo y a excluirlo de las actividades oficiales más importantes. Ahora, se dedicaba a espiarlo abiertamente –y tal vez a tratar de robarle sus consejeros espirituales.

A principios de junio, Díaz Herrera llegó a la conclusión de que su situación era insostenible. Noriega, cuya oficina se encontraba sólo un piso por encima de la suya, no devolvía sus llamadas y ni siquiera respondía a sus notas entregadas a mano por mensajeros. El 4 de junio, Díaz Herrera le pidió a su esposa Maigualida que llamara a Felicidad Noriega, y que le pidiera ayuda para gestionar una reunión de los dos a solas.

Las dos mujeres se habían acercado un tanto en los últimos meses, en parte porque ambas eran copresidentas de una organización de caridad integrada por esposas de altos oficiales.

Maigualida llamó, y la empleada doméstica de la casa de Noriega que tomó el teléfono le pidió que esperara. Cuando volvió al teléfono, dijo que la señora de Noriega no estaba en casa, y preguntó si quería dejar un recado. La esposa del coronel colgó. No tuvo que darle muchas explicaciones a su marido: los Díaz Herrera vivían a cuatro cuadras de la casa de Noriega, y minutos antes habían visto al chofer de Felicidad parado en la acera de su casa, matando el tiempo.

Entonces, Maigualida llamó a la casa del coronel Marco Justine, tercero en la jerarquía de las Fuerzas de Defensa. La señora de Justine no vino al teléfono.

Exasperado, Díaz Herrera decidió enviarle un último mensaje escrito a Noriega. Constaba de tres párrafos, y su firma:

"Tony, quieres declarar una guerra mundial en contra mía.

"Hace muchos años que nos conocemos. Conozco a (tus hijas) Lorena, Sandra y Taiz, y tú conoces a mis hijos. Yo no quiero esta guerra, pero tampoco voy a escaparle.

"Me estás evitando. Necesito hablarte. Llámame.

"Roberto".

El coronel le pidió a su guardia que entregara la carta inmediatamente en la casa de Noriega. El joven regresó diez minutos después. El mensaje había sido recibido. Pero no hubo respuesta. Díaz Herrera esperó hasta tarde esa noche.

A la mañana siguiente, convocó una conferencia de prensa en su casa. Las revelaciones del coronel sobre la corrupción en las fuerzas armadas y los asesinatos políticos promovidos desde el poder desataron una tormenta política. Decenas de miles de panameños se lanzaron a las calles, agitando pañuelos blancos y exigiendo un gobierno civil, sin la presencia de Noriega. El gobierno de Estados Unidos ya no pudo mantener su silencio. Los secretos de Panamá, guardados durante tanto tiempo, habían salido a la luz. El resto ya es historia.

Ahora, Díaz Herrera y su esposa viven exiliados en Caracas, Venezuela.

El coronel ha vuelto a su primera religión: el catolicismo. Habla con franqueza y afecto sobre sus viajes místicos de los últimos años. Señala que no tiene por qué avergonzarse de ellos.

La pareja vive en una casa nueva, de unos 250,000 dólares, situada en la sección La Trinidad –un barrio de clase media alta–. Es la casa más grande de la manzana. Está pintada de rosado, tiene grandes columnas griegas en el frente, y una cerca de picas metálicas a su alrededor. Por dentro, hay inmensos jarrones chinos, regalo de un comerciante de Taiwán que el coronel había recomendado una vez a un ministro de finanzas panameño. Al lado de la mesa del comedor hay dos estatuillas de Buddha, sentado y sonriente.

En las paredes hay dos pequeños dibujos originales de Diego Rivera y José Clemente Orozco. Las "cosas buenas" –varias pinturas importantes– fueron confiscadas o robadas de la casa de los Díaz Herrera en Panamá cuando las tropas de Noriega la tomaron por asalto en aquella madrugada de 1987. El coronel tiene pocas esperanzas de recuperar alguna de sus obras de arte.

En Venezuela, Díaz Herrera y Maigualida han abierto una pequeña empresa de bienes raíces, con cinco empleados. También han comprado una empresa de traducciones e impresión de documentos legales, con 20 empleados, que dirige Maigualida.

Al coronel no le va extraordinariamente bien en sus negocios. Venezuela está en medio de una crisis económica, y los precios de los bienes raíces se han desplomado. La firma de traducciones que dirige Maigualida apenas alcanza para pagar las cuentas.

En Panamá, los líderes de la oposición reconocen el mérito de Díaz Herrera de haber sido el primero en denunciar a Noriega ante el mundo, pero creen que sus pasados coqueteos con el misticismo lo convierten en una figura demasiado controversial como para acercársele demasiado. De la misma manera, los diplomáticos norteamericanos en Caracas han evitado reunirse con el coronel exiliado.

Pero Díaz Herrera parece estar en paz consigo mismo. La historia lo recordará como el hombre que provocó la caída de Noriega, afirma. Ante los ojos de su mujer, sus hijos y unos cuantos partidarios leales, Díaz Herrera es un héroe. Y, quién sabe, quizá pueda volver pronto a Panamá y formar parte de la vida política posnorieguista.

Después de todo, La Gringa –su consejera espiritual de Los Ángeles– le vaticinó que al principio parecería que había perdido la batalla, pero que a la larga triunfaría. Y, hasta el momento, La Gringa había acertado en todas sus predicciones.

✍

Posdata: Cuatro meses después de publicada esta crónica, el presidente norteamericano George Bush ordenó la invasión de Panamá. Según la Casa Blanca, la intervención militar fue para extraditar a Noriega, contra quien existían cargos de narcotráfico. Al momento de escribirse estas líneas, Noriega está en una prisión en Estados Unidos, donde se ha convertido en cristiano renacido. Díaz Herrera ha regresado a Panamá, donde ha fundado el Centro de Investigación de Terapias Alternativas (CITA), que ofrece talleres de meditación, videncia y biodanza.

Los Santos

BOGOTÁ, Colombia, *Agosto de 1988*. Cuando los dueños del diario más influyente de Colombia se ufanan de que su empresa de 2,000 empleados funciona como una gran familia, no están hablando metafóricamente.

El principal accionista y editor de *El Tiempo* es Hernando Santos. El editor adjunto es Juan Manuel Santos. El director informativo es Enrique Santos. El director informativo adjunto es Rafael Santos. El jefe de la edición dominical es Enrique Santos, Jr. El director de noticias internacionales es Francisco Santos. La encargada del departamento artístico es Juanita Santos. La división de publicidad está dirigida por Felipe Santos. El departamento de sistemas computadorizados está al mando de Guillermo Santos.

Prácticamente todas las operaciones de *El Tiempo* están dirigidas por miembros de la familia Santos. Lo que es más, los Santos –y su periódico de unos 260,000 ejemplares diarios– también manejan, tal vez como ningún otro grupo, los hilos del poder político en este país.

"Tienen un poder tremendo", dice Elizabeth Ungar, profesora de ciencias políticas en la Universidad de los Andes. "Pueden crear o destruir carreras políticas". La revista *Semana*, a su vez, sentenció hace poco: "En Colombia, la gente no nace, ni se casa, ni se muere a no ser que salga publicado en *El Tiempo*. Hernando y Enrique Santos... deciden quién nace, quién se casa y quién se muere en este país".

Muchos colombianos vieron el ascenso del presidente Virgilio Barco al poder a principios de este mes como debido en parte a *El Tiempo*. El periódico había apoyado con entusiasmo y durante varios meses la candidatura de Barco, ayudándolo a ganar las elecciones a pesar de su voz monótona y casi total carencia de carisma. Muchos otros ven a *El Tiempo* como un símbolo de la cerrada clase política de este país, donde unas pocas familias dominan la prensa, y los descendientes de ex presidentes ocupan lugares de privilegio en la vida pública.

Los periódicos familiares, por supuesto, no son cosa rara en América Latina. Muchos de ellos son enormemente influyentes en sus respectivos países. Pero *El Tiempo*, a diferencia de muchos de sus pares, se ha modernizado a través del tiempo: Los patriarcas de la familia han enviado a sus hijos a estudiar a universidades de Estados Unidos y Europa, y les han permitido dejar su sello en el contenido y la diagramación del periódico. También han invertido fortunas en maquinaria y tecnología. Los Santos son periodistas natos, y, por ahora, prefieren poner su dinero en el periódico a invertirlo en otras empresas fuera de su especialidad.

El Tiempo no oculta sus preferencias políticas. Se define públicamente como afiliado al Partido Liberal que gobierna Colombia, propone a candidatos para cargos de jerarquía y, aunque no lo admita públicamente, juega un rol clave en su elección. El motivo es simple: los funcionarios del Partido Liberal dicen que no les conviene lanzar un candidato presidencial o legislativo que no sea apoyado por *El Tiempo*.

El Tiempo había apoyado la candidatura presidencial de Barco hace tres años, cuando el actual presidente estaba muy por detrás de otros candidatos en las encuestas de opinión. Antes de obtener el apoyo del periódico, muchos consideraban a Barco como un candidato políticamente muerto.

"Nosotros no hicimos al nuevo presidente, pero *El Tiempo* ciertamente fue un factor importante en lograr su nominación", me dijo Hernando Santos, el editor del periódico. "Al principio, prácticamente éramos los únicos que peleábamos por su candidatura".

La rutina diaria de Hernando Santos, 63 años, sería la envidia de cualquier periodista norteamericano. El editor de *El Tiempo* aparece en su oficina todos los días a eso de las 9 de la mañana. Dicta los editoriales del periódico y responde llamadas telefónicas de ex presidentes, ministros y políticos.

A eso de las 3 p.m., Hernando Santos concluye su jornada de trabajo, y se va al cine. Todos los días, religiosamente, después del almuerzo.

"Voy a la función matiné todos los días", me dijo, encogiéndose de hombros. "Veo absolutamente de todo. Ir al cine me relaja muchísimo".

¿Qué películas vio en los últimos días? El patriarca de la familia Santos dice que vio por tercera vez *Zulu*, la película inglesa producida en 1964 que relata la lucha de un batallón británico contra los guerreros zulúes en África en 1878. Le encantó, como las dos veces anteriores.

Después del cine, Hernando Santos se va a su casa. Por lo general, se acuesta temprano, a veces a las 7 de la noche. Detesta las reuniones sociales, y nunca va a cenas, a pesar de los cientos de invitaciones que recibe por mes.

El representante de la familia Santos que asiste a muchas de las reuniones a las que Hernando Santos se niega a ir es su hermano Enrique, de 68 años, el director de las operaciones noticiosas de *El Tiempo*. Mientras Hernando está a cargo de los editoriales del periódico, Enrique –un hombre enérgico y cálido, que se mueve por la redacción con la agilidad de una persona mucho menor de su edad– supervisa las noticias de primera plana. Los dos hermanos están casados con dos hermanas de la familia Calderón Nieto.

No existen dudas sobre la posición ideológica de *El Tiempo*. El diario se opone decididamente al gobierno sandinista de Nicaragua, adopta una línea dura contra lo que considera como infiltración comunista en Colombia, y en términos generales apoya la política exterior de Estados Unidos en la región.

"Sobre todo, *El Tiempo* defiende y apoya a los poderes establecidos (colombianos)", afirma la revista *Semana*. "Como la embajada norteamericana, se ha convertido en uno de esos símbolos del sistema a los que la gente le tira piedras cuando se enoja".

El Tiempo tampoco es tímido en sus alabanzas a los integrantes del clan Santos. Recientemente, en un periodo de ocho días, el periódico dedicó tres artículos de primera plana a la familia Santos o sus antepasados, incluyendo una historia sobre el centésimo aniversario del nacimiento de Enrique Santos Montejo. Santos Montejo, ex columnista de *El Tiempo*, fue el padre de Hernando y Enrique.

Entre quienes asistieron el 15 de julio pasado a una ceremonia en *El Tiempo* para conmemorar el natalicio de Santos Montejo se encontraban el presidente Barco, el ex presidente Belisario Betancur, y nada menos que cinco ex presidentes colombianos. Ese mismo día, por orden del gobierno nacional, el servicio postal colombiano lanzó una estampilla de 25 pesos en honor al centenario del nacimiento de Santos Montejo, que ya está dando la vuelta al mundo.

Enrique Santos, el director informativo, no le da mucha importancia al hecho de que el presidente y seis ex mandatarios del país asistieran al acto. "Son buenos amigos", me dijo, sonriente. "Uno de ellos quiso asistir, y no podíamos dejar de invitar a los demás".

✍

El presidente que viajaba a dedo

MONTEVIDEO, Uruguay, *Febrero de 1988*. El presidente Julio María Sanguinetti realiza anualmente varios viajes oficiales al exterior. Pero no es su estilo hacerlo en un avión presidencial: generalmente se las arregla para viajar a dedo.

Cuando viajó recientemente a Acapulco, México, para una cumbre de jefes de Estado de América Latina, le pidió al presidente argentino Raúl Alfonsín que lo llevara en su avión presidencial. En una gira anterior a Perú, Ecuador, Colombia, Brasil y Bolivia, se las ingenió para visitar los cinco países a bordo de los aviones oficiales de presidentes latinoamericanos que pasaban por alguna de sus escalas.

"He hecho la mayor parte de mis giras oficiales viajando a dedo", me dijo Sanguinetti, con una sonrisa de orgullo, en una entrevista de una hora en su despacho. "Lo sigo haciendo, constantemente".

En una parte del mundo donde muchos jefes de Estado hacen un culto de la pomposidad, Sanguinetti se ha ganado las simpatías del cuerpo diplomático y muchos de sus coterráneos con un estilo de gobierno sencillo y marcado por la modestia.

En abierto contraste con la solemnidad de los militares que gobernaban este país hasta hace poco, Sanguinetti encarna un estilo de gobierno que evoca los días en que los presidentes civiles de América Latina iban caminando a sus despachos, se paraban a conversar con gente en la calle y se ufanaban de dirigir gobiernos austeros.

Sanguinetti, un abogado de 52 años que se ha pasado la mayor parte de su vida adulta ejerciendo el periodismo, es un hombre delgado cuyas cejas gruesas y prominentes son un tema favorito para los caricaturistas de los periódicos uruguayos.

Muchas tardes, puede ser visto hojeando libros en las librerías de Montevideo junto con su esposa, Marta, también historiadora y periodista. Por las noches, varias veces por semana, el presidente hace "jogging" por el parque El Prado de esta ciudad, una escena peculiar en un país que emergió hace apenas tres años de un ciclo sangriento de violencia guerrillera y dictaduras militares.

Sanguinetti juega al futbol unas tres veces por semana, en equipos formados al momento que incluyen a sus ministros, policías de guardia, el cocinero de la casa de gobierno y cualquiera que esté a mano en momentos de comenzar el partido. Los domingos, es uno de los miles de fanáticos que acuden al estadio de Peñarol, el principal equipo de futbol uruguayo.

"Uruguay se ha reencontrado con su viejo estilo democrático", me dijo el presidente. "Yo puedo ir a una librería, correr en un parque público o jugar un partido de futbol, y mi única preocupación por mi seguridad personal es que un borracho o un loco no me den un golpe. Estamos viviendo, nuevamente, en un clima de paz".

La característica más relevante del gobierno de Sanguinetti, además del retorno a la democracia, es la obsesión del presidente por la política exterior. Apoyándose en un mejoramiento de las relaciones con sus poderosos vecinos, Argentina y Brasil, este pequeño país está haciendo escuchar su voz en los foros internacionales.

Recientemente, Sanguinetti visitó todos los países de América Central como emisario del Grupo de los Ocho –integrado por Argentina, Brasil, Colombia, Venezuela, México, Panamá, Perú y Uruguay– para realizar un informe sobre el proceso de paz centroamericano.

El Grupo de los Ocho eligió a Sanguinetti para ser el orador principal en la ceremonia de clausura de su primer cumbre en Acapulco en noviembre pasado, y escogió a Uruguay para ejercer la presidencia de la asociación regional este año.

Y Sanguinetti no podría tomarse sus funciones diplomáticas más a pecho.

En un periodo de 40 días el año pasado, Uruguay recibió la visita del presidente francés François Mitterrand, el primer ministro español Felipe González, el ministro de relaciones exteriores soviético Eduard Shevardnadze, el primer ministro israelí Shimon Peres, y varios ministros latinoamericanos.

"Uruguay nunca había jugado un rol político en política exterior como lo hace ahora", dijo Sanguinetti. "Estamos apostando a un modelo de desarrollo basado en las exportaciones, y tener una buena imagen externa nos ayuda a ser recibidos con una alfombra roja donde quiera que vayamos".

La estrategia parece estar funcionando. Las exportaciones de Uruguay subieron un 9 por ciento el año pasado, y un 27 por ciento en 1986. El grueso del aumento corresponde a exportaciones no tradicionales, como pescados envasados y productos textiles. La economía creció un 5 por ciento el año pasado, los sueldos reales aumentaron un siete por ciento, y la inflación ha bajado por segundo año consecutivo.

Los políticos de oposición no disputan el hecho de que la economía está mejorando, pero señalan que muy pocos uruguayos se han beneficiado del repunte. Según afirman, las políticas económicas conservadoras de Sanguinetti están golpeando a los pobres.

Como ejemplo, citan el reciente veto presidencial a una ley que aumentaba los salarios de los docentes y los beneficios a los jubilados. Los opositores –que gozan de grandes simpatías en uno de los países donde menos gente parece haberse enterado del fracaso de las dictaduras de izquierda– también le achacan la decisión de haber clausurado el sistema ferroviario del país, que perdía dinero por todos lados.

"Hay vastos sectores de la sociedad que han sido lastimados", me dijo Martín Aguirre Gomensoro, director del periódico de oposición *El País*. "Este país estaba en las ruinas cuando Sanguinetti asumió la presidencia. El haber mejorado algo la economía no constituyó un milagro económico".

En lo que pocos difieren es que Sanguinetti ha humanizado la institución presidencial. Cuando el presidente me relataba la historia de su reciente gira "a dedo" a cinco países latinoamericanos, me comentó con orgullo cómo había logrado empalmar sus viajes con los de otros jefes de Estado.

"Me llevó un poco de tiempo llamar a cada uno de los presidentes y averiguar su itinerario de viajes", dijo. "Pero una vez que me dieron sus respectivas fechas de viaje, acomodé mi itinerario para poder viajar con ellos. Imagínese los millones de dólares que le ahorramos al país no comprando un avión presidencial..."

✍

Posdata: Casi diez años después de escrito este despacho, Sanguinetti ha vuelto a la presidencia de Uruguay, y continúa sin haber comprado un avión presidencial. El embajador de Uruguay en Washington D.C., Álvaro de Medina, me informa que a fines de 1997 la fuerza aérea de Uruguay le encomendó hacer averiguaciones para la posible compra de un avión presidencial en Estados Unidos, "pero el presidente dijo no".

La venganza de los Patas Coloradas

COCA, Ecuador, *Agosto de 1987.* Cuando los indígenas del Amazonas asesinaron al obispo y a la monja que habían llegado a su aldea el mes pasado para traerles la palabra de Dios, quisieron enviar un mensaje al mundo.

Dejaron los cadáveres de ambos religiosos clavados en el piso, atravesados por 21 pesadas lanzas de madera. En sus cuerpos se encontraron otras 109 perforaciones, producto de impactos de punta de lanza. Muchas de las heridas habían sido tapadas con hojas, para contener la hemorragia y prolongar el sufrimiento de las víctimas. Junto a los dos cuerpos mutilados, los indígenas dejaron un poste de madera, con un hueso atado en su extremo superior. Era una advertencia para el hombre blanco, de que cualquiera que se aventurase en su territorio correría la misma suerte.

Aunque pocos lo sepan, en este remoto rincón de la selva amazónica está teniendo lugar una de las últimas batallas de una guerra centenaria. Después de años de retroceder ante la ofensiva de la modernidad, los últimos indígenas ajenos a lo que se ha dado en llamar la civilización se han declarado en pie de guerra. Los dos religiosos católicos –monseñor Alejandro Lavaca, de 67 años, y la hermana Inés Arango, de 50– no fueron sino las más recientes víctimas de la lucha que se está dando aquí. De un lado está un grupo de guerreros indígenas que parecen venidos de la Edad de Piedra, y que están en rápida vía de extinción. Del otro, el formidable ejército de la civilización occidental, representado por las compañías petroleras multinacionales, los colonos y los misioneros católicos. Y a medida en que ganan terreno las fuerzas de la modernidad, es probable que siga aumentando la violencia.

El auge petrolero, y de las inversiones extranjeras en este sector, han puesto fin a varios siglos de tranquilidad en la selva. En los últimos cuatro años, unas 15 empresas petroleras estadounidenses y europeas han llegado aquí, invitadas por el gobierno ecuatoriano a explotar la región amazónica como parte del programa de apertura económica del país.

Desde que se inició la exploración petrolera de unos seis millones de acres de selva virgen, la población ha crecido enormemente. Las sierras eléctricas y las aplanadoras de las compañías han abierto caminos a través de la jungla, permitiendo a los geólogos detonar poderosas cargas de dinamita que les indican dónde encontrar petróleo. Detrás de las empresas petroleras, vienen los colonos en busca de tierras para sus cultivos, y después los comerciantes que llegan para vender sus productos a los colonos, y tras ellos los mercaderes que vienen a abastecer a los comerciantes. La población en este rincón del Amazonas ha crecido de unas 3,000 personas a principios de la década de los setenta a más de 100,000 quince años después.

Ante semejante invasión, los indígenas huaorani, cuya gran mayoría nunca ha tenido contacto con el hombre blanco, están aterrados. Todavía andan desnudos, y sus organismos carecen de inmunidad contra enfermedades tan simples para la civilización occidental como la gripe, el sarampión y la viruela. Se mantienen de lo que cazan. Y temen que la dinamita que utilizan las empresas petroleras para explorar la zona ahuyente a los monos, su principal fuente de alimentación.

"No les gusta ver cómo la selva se sacude con el ruido", me asegura Camilo Pauchi Padilla, de 24 años, miembro de una tribu huaorani semicivilizada que vive cerca de los indígenas que describe como "huaoranis libres". "Creen que van a quedarse sin alimentos. Creen que los están invadiendo".

Cada vez más, los indígenas –y no sólo los salvajes– están contraatacando. En un incidente registrado el 7 de agosto, un indio resultó muerto y un colono herido en una batalla por el derecho a la propiedad de unas tierras en el puesto selvático de Paroto Yaco. "Defendemos nuestro hogar, la tierra en que vivimos", dice Alberto Tanguila, líder indígena de Coca. "La defenderemos con lo que sea, a mano limpia, con palos, con piedras o con otras armas". La lucha podría ser larga y sangrienta. A los huaoranis se les conoce también como los "Aucas", o matadores.

En este momento, no hay un camino que lleve directamente a la región donde viven los Aucas. En marzo, un terremoto destruyó las carreteras y los puentes que llegaban a Coca, la última población antes de la jungla. Para llegar cerca de las tierras de los Aucas, es necesario tomar un vuelo hasta Lago Agrio, hacer un arduo recorrido de dos horas en automóvil rumbo al sur, y luego cruzar el río Coca en canoa.

El camino a Coca, por entre sierras y junglas, está a menudo intransitable. La densa vegetación selvática lo cubre en varios de sus tramos. Plantas de plátano y palmas de coco se alzan como torres verdes en ambos lados de la carretera. Aquí y allá, se ven chozas de madera, erigidas sobre postes para evitar que se las lleven las torrenciales lluvias tropicales.

Mis acompañantes, hombres armados con machetes y rifles, caminan a lo largo de la carretera bajo el sol ardiente. El chofer de mi automóvil de alquiler apunta con el dedo a una boa de 12 pies de largo. En un alto en el camino, los indígenas semicivilizados que nos acompañan nos hablan de una tribu auca especialmente violenta, conocida como los Patas Coloradas, que son quienes mataron al obispo y a la monja.

Entre los Patas Coloradas, las mujeres andan completamente desnudas. Los hombres usan poco más que una cuerda en torno a la cintura. Se pintan las piernas y el cuerpo con un jugo rojo que extraen del achiote. Debido a que los alimentos a menudo escasean y la delgada capa de vegetación amazónica no alcanza a sustentar sucesivas cosechas de yuca, los Patas Coloradas se movilizan de un lado a otro de la selva aproximadamente cada dos años. Generalmente, viven en pequeñas comunidades de hasta 40 personas, a muchas millas de distancia unas de otras.

Los Patas Coloradas acostumbran matar a sus hijas primogénitas, ahogándolas en un macabro ritual que según los antropólogos puede ser una forma inconsciente de control poblacional. Los ancianos, cuando ya no pueden seguir a la tribu, piden ser muertos a pedradas, o enterrados vivos. Entre los Aucas, el miedo a la muerte es eclipsado por un sentimiento innato de que la supervivencia de la tribu tiene prioridad sobre los deseos del individuo. Las otras tribus indígenas le tienen pavor a los Patas Coloradas, porque suelen atacar sus poblaciones y robarles sus mujeres.

La guerra que libran ahora los Patas Coloradas comenzó en 1956, cuando aniquilaron a lanzasos a cinco evangelizadores estadounidenses que se aventuraron en su territorio. En los últimos diez años, ha habido por lo menos una docena de sangrientos ataques contra los trabajadores de las compañías petroleras, madereras y explotadoras de palma africana. Una de las víctimas fue el cocinero de una compañía petrolera que, sin saberlo, cogió algunas yucas de una pequeña plantación que los Patas Coloradas habían dejado en la jungla. Esa noche, el hombre fue muerto en su tienda por una lluvia de lanzas.

Monseñor Lavaca estaba preocupado por estas muertes. A medida que las empresas petroleras se adentraban más en la jungla, con seguridad habría más violencia. En los últimos meses de su vida, se había dedicado casi de lleno a buscar formas de evitar nuevas confrontaciones. En una carta que envió el 11 de febrero a la Conferencia Episcopal del Ecuador, con sede en Quito, Lavaca adjuntó un mapa de las últimas carreteras de exploración abiertas en el Amazonas, "de modo que ustedes puedan ver cómo la jungla es atravesada en todas direcciones por esos senderos".

En la misión de los frailes capuchinos de Coca, Lavaca y los 17 misioneros bajo su tutela comenzaron a hacer planes para localizar y evangelizar a los Patas Coloradas antes de que se produjeran nuevos ataques contra los exploradores de las empresas petroleras. En marzo y abril de este año, Lavaca, que tenía un contrato de asesoría con la Corporación Estatal del Petróleo Ecuatoriano (CEPE) para entrar en contacto con la tribu, había volado en ocho ocasiones sobre el sector de la jungla donde se habían producido las últimas matanzas.

En abril, desde el aire, Lavaca distinguió a dos mujeres y cuatro hombres que parecían pertenecer a la tribu. Tomó nota de su ubicación geográfica y volvió a la misión en Coca, para planear su siguiente paso. El sacerdote español, que había vivido en Ecuador desde hacía 30 años y gozaba de buen acceso a funcionarios de alto rango en el gobierno, persuadió a la CEPE de que extendiera su contrato, que estaba a punto de expirar.

A las 5 de la mañana del 20 de julio, sin informar al pequeño grupo de científicos que estaba acampado a dos millas de los Patas Coloradas y que participaba de una expedición planeada por la Iglesia y la CEPE para iniciar contacto con ellos, Lavaca cargó su helicóptero de regalos y despegó hacia la tierra de la tribu auca. El sacerdote desbordaba entusiasmo, afirman los últimos que lo vieron con vida.

"Por mucho tiempo, había soñado establecer contacto con esos indios", me dijo monseñor Bernardino Echeverría, arzobispo de Guayaquil, quien unas pocas semanas antes había conversado con él durante una conferencia eclesiástica. "La euforia con que hablaba de su misión atrajo nuestra atención en ese momento. Esperaba conquistar esa tribu para Cristo, como lo había hecho con muchas otras".

Al llegar con su helicóptero a la aldea de los Patas Coloradas, en medio de la jungla, Lavaca comenzó a dejar caer regalos desde el aire. Entre otras cosas, les arrojó machetes, ollas esterilizadas, y paquetes de sal. Tímidamente, uno o dos indígenas emergieron de la densa vegetación para acercarse al lugar, e hicieron señales con las manos que el sacerdote interpretó como gestos amistosos. Entusiasmado, el obispo decidió salirse de su libreto, y aterrizar. Tomó algunas raciones de alimentos, le pidió al piloto que volviera en un par de días y, acompañado de la hermana Arango, descendió por una escalera de cuerdas. Cuando el piloto regresó días después, encontró los dos cadáveres clavados contra el piso, en lo que a todas luces había sido un asesinato ritual.

Los cuerpos habían sido dejados en un campo abierto, a unos pocos metros de una choza de los Aucas. Nadie sabe exactamente qué ocurrió en los últimos minutos antes de sus muertes. Los antropólogos especulan, sin embargo, que los indígenas siguieron un rito ancestral: después de que sus víctimas murieran de agonía, cada miembro masculino de la tribu les atravesó el cuerpo con una lanza.

El obispo Lavaca cometió varios errores fatales cuando decidió bajar del helicóptero, según me dijeron varios antropólogos y sociólogos que trabajan en la selva. Muchos de ellos estan aquí desde hace años, como el obispo, estudiando minuciosamente las costumbres de los Aucas, y esperando la oportunidad de tener el primer encuentro amistoso con ellos.

El primer grave error del obispo fue acercarse a los Patas Coloradas en un helicóptero. Es casi seguro que el enorme pájaro de hierro asustó a los indígenas. En sus mentes, los hombres blancos que viajaban en semejante máquina difícilmente podían venir con buenas intenciones, según la reconstrucción de los hechos realizada por los expertos. Segundo, Lavaca no advirtió que había una raya colorada pintada sobre el techo de una de las chozas de los Patas Coloradas. Era una señal de guerra contra cualquier intruso que se atreviera a llegar al lugar, parecida al poste con un hueso atado en la punta que habían dejado junto con los cuerpos de los dos religiosos.

Su tercer error, y el más grave de todos, había sido confundir las sonrisas de los indígenas y sus gestos con las manos como cálidas expresiones de bienvenida. No eran sino tácticas de guerra, ardides para emboscar al enemigo, como tantas otras trampas de cacería que los indígenas utilizaban para sobrevivir en la selva.

Algunos líderes de las tribus semicivilizadas de la región dicen que el obispo también cometió el error de ir vestido de camisa blanca cuando descendió del helicóptero, lo que habría llevado a los Patas Coloradas a confundirlo con un funcionario de las compañías petroleras. Según esta versión, la muerte de Lavaca habría sido una venganza contra las empresas petroleras. Pero los antropólogos y sociólogos con los que hablé no comparten esta teoría: según ellos, el obispo fue asesinado por el simple hecho de ser un hombre blanco que irrumpió en territorio Auca. Ninguna vestimenta diferente lo hubiera salvado de su destino.

Casi todos coinciden, sin embargo, en que los Aucas son una tribu de cazadores que, a diferencia de los indígenas de las películas de Hollywood, jamás corren detrás de sus presas. Son mucho más astutos. Atacan sólo cuando su víctima está distraída, descansando o durmiendo, o la sorprenden en una emboscada.

A veces, como lo hicieron en el caso de Lavaca, tienden una trampa. Sonrieron, esperaron que el helicóptero se fuera, y una vez que sus presas se encontraban indefensas comenzaron su sangriento ritual de muerte.

En la misión de los frailes capuchinos de Coca, los sacerdotes conservan algunas de las 21 lanzas con que los Aucas asesinaron a Lavaca. Son armas imponentes. Cada una de ellas mide alrededor de cuatro metros de largo, y están decoradas con cuerdas de hilo. Cuando el hermano Jesús Elizalde, uno de los misioneros capuchinos, me dio una de las lanzas para que la tomara en mis brazos, apenas pude levantarla.

Varias de las lanzas serán exhibidas en la misión, para que las vean los turistas. Otras han sido enviadas a Quito, donde están expuestas en la sede de la Conferencia Episcopal, junto con una placa conmemorativa de la muerte heroica de Lavaca y su acompañante. A mi regreso de la selva, monseñor Antonio Arregui, el secretario general de la Conferencia Episcopal, me llevó a una sala del edificio donde habían colgado una de las lanzas en la pared. Señalando el arma con la mano, se refirió a Lavaca como un santo, y ensayó sus argumentos para lograr la beatificación del sacerdote asesinado.

"Él demostró que todavía en nuestros días es posible sacrificar la vida de uno por la fe", dijo Arregui. "Esto nos da nuevas energías para seguir nuestra misión. Nos estimula a retomar el trabajo donde él lo dejó".

La mayoría de los antropólogos y otros científicos que entrevisté en la selva se horrorizan cuando escuchan comentarios como éste, glorificando a los dos religiosos muertos por los indígenas. Si Lavaca se equivocó, los jerarcas de la iglesia que están exhibiendo las lanzas con que lo mataron están cometiendo errores aún mayores, afirman con alarma, como advirtiendo que lo que está haciendo la iglesia puede llevar a una nueva tragedia.

"Las lanzas son el símbolo más importante en la vida de estos indígenas", me dijo un antropólogo, que me pidió no identificarlo para no afectar su relación de trabajo con los funcionarios gubernamentales y eclesiásticos con quienes trabaja a diario. "El haber llevado las lanzas como souvenirs es la ofensa más grande que se les podría haber hecho. Te puedo asegurar que los Patas Coloradas estaban observando las tareas de rescate desde la maleza, y que vieron cómo se llevaron sus lanzas. Desde su visión del mundo, el hombre blanco les mandó un mensaje de desafío cuando se llevó sus armas".

Carlos Romo Leroux, el director general de CEPE, la compañía petrolera estatal del Ecuador, no desecha de plano las acusaciones de que la exploración petrolera está provocando el caos en la selva. Sentado detrás de su escritorio, se muestra comprensivo con el drama de los últimos indígenas salvajes de la jungla. Pero me señala que el arrinconamiento de los Aucas no está siendo causado por las explosiones de dinamita que ahuyentan a los monos, ni por las brechas abiertas en la selva virgen por las aplanadoras de las empresas petroleras norteamericanas y europeas, sino por la invasión de colonos en búsqueda de tierras para cultivar.

El problema, según él, es que decenas de miles de colonos están aprovechando las brechas abiertas por las compañías petroleras para adentrarse cada vez más en la selva. La semana pasada, Romo Leroux propuso la creación de una agencia gubernamental autónoma para detener el flujo de colonos. Su plan consiste en obligar a las empresas petroleras a que coloquen guardias armados en los caminos que éstas abren en la selva, y obliguen a dar marcha atrás a quienes intenten atravesarlos.

"No podemos seguir así", me dijo el funcionario. "No podemos permitir que la población siga destruyendo los bosques amazónicos. El suelo amazónico tiene una capa de humus tan delgada que tomaría varias décadas hacer crecer nuevos árboles".

Volviendo su mirada hacia un mapa en la pared, y señalando el lugar donde fue asesinado Lavaca, Romo Leroux agregó: "A menos que hagamos algo pronto, habrá más violencia entre los indígenas y los colonos, y se derramará más sangre entre los Aucas y las compañías petroleras".

Después de varios días en la selva, cuando me aprestaba a regresar a la capital, los funcionarios policiales de Coca me informaron que los Aucas se habían internado aún más en la jungla desde la muerte de Lavaca. El gobierno había anunciado que no enviaría al ejército detrás de ellos, ni trataría de apresar a los asesinos materiales del obispo en el futuro. "Es un caso muy especial", me explicó un alto jefe policial.

La misión de los sacerdotes capuchinos en Coca dice que pronto reanudará la labor evangelizadora de Lavaca. Mientras haya indígenas no civilizados en la selva, su obra no estará concluida, y los misioneros continuarán el trabajo que llevan adelante desde los días de la conquista. A pocos kilómetros de distancia, los antropólogos y sociólogos empleados por las compañías petroleras para buscar un modus vivendi con los Aucas están haciendo sus propios planes de contingencia. Uno de ellos, un antropólogo ecuatoriano con estudios de posgrado en Rusia y que ahora trabaja para una petrolera norteamericana, me confesó que no es muy optimista sobre el futuro. Apesadumbrado, me dijo que se sentía como un médico a cargo de un paciente terminal.

"Sé que no puedo hacer nada por mi paciente, porque la marcha del progreso es imparable. Lo único que puedo hacer es tratar de postergar su muerte, y de hacerla lo menos dolorosa posible".

✍

Si los chinos supieran

SANTA ANA, El Salvador, *Noviembre de 1985*. En medio de la cruenta guerra civil que sufre este país, una nueva industria está creciendo a pasos agigantados, y se está convirtiendo en una gran promesa para la economía nacional: la exportación de aletas de tiburón.

En los últimos tres años, varias compañías salvadoreñas han comenzado a exportar un total de 12 toneladas de este producto al año, que equivalen a unas 96,000 aletas. La gran mayoría de los embarques van a Miami, desde donde empresas de importación y exportación las reembarcan al Lejano Oriente. Allí, las membranas de aleta de tiburón son usadas para preparar sopa de aleta de tiburón, el máximo afrodisiaco en muchos países asiáticos.

"Los chinos comen mucha sopa de aleta de tiburón, porque piensan que es un estimulante sexual", me explicó Félix Marquand, un chino que vive en Miami y que hace poco vendió su clínica de acupuntura para dedicarse tiempo completo a la mejora de la vida sexual de sus ex compatriotas mediante la exportación de aletas de tiburón. Según Marquand, "no hay boda en China donde no se les haga comer sopa de aleta de tiburón a los novios".

La sopa de tiburón, según me enteré más tarde, también es un plato tradicional en fiestas de fin de año y otras celebraciones por todo el Lejano Oriente. China, Singapur y otros países asiáticos consumen unas 44,000 toneladas de aletas de tiburón al año, de las cuales un 60 por ciento, según se calcula, se produce en el Lejano Oriente, y el resto en América Latina.

Miami se ha convertido en el Wall Street del comercio de aletas de tiburón en esta parte del mundo. Cuatro empresas miamenses dedicadas de lleno a esta actividad compran unas 120 toneladas de aletas de tiburón al año de México, Ecuador, Colombia, Panamá, El Salvador y otros países de la región. Aunque El Salvador recién está empezando a explotar aletas, y sus ventas internacionales son aún modestas comparadas con las de otros países latinoamericanos, representan un importante ingreso para este país asolado por la violencia.

Se trata de una de las pocas industrias que han surgido aquí en los últimos seis años, desde que la guerrilla del Frente Farabundo Martí de Liberación Nacional (FMLN) inició su guerra sin cuartel contra el gobierno del presidente José Napoleón Duarte. Para El Salvador, representa un éxito importante, aunque más no sea por su impacto psicológico sobre la alicaída comunidad de negocios local. Además, es una de las pocas industrias con las que El Salvador puede aspirar a reducir su dependencia de las exportaciones de café, y diversificar su economía. El café representa alrededor del 50 por ciento de los ingresos nacionales por exportaciones, por lo que las finanzas salvadoreñas siempre han estado a merced de los vaivenes de los precios del café en los mercados internacionales, que a menudo se han desplomado en cuestión de horas.

Pero llevar las aletas de tiburón desde las costas de este país hasta las soperas del Lejano Oriente es un negocio riesgoso. Casi todos los tiburones salvadoreños son capturados en el Golfo de Fonseca, sobre el Pacífico, donde confluyen las costas de El Salvador, Nicaragua y Honduras, y donde se cruzan patrullas de los ejércitos y las guerrillas de casi todos los países centroamericanos.

El Golfo de Fonseca es tierra de nadie. Por allí navegan naves de patrullaje del Ejército Sandinista de Nicaragua, con sus asesores cubanos vistiendo uniformes militares nicaragüenses; barcos de traficantes de armas procedentes de Honduras, que llevan armas a los rebeldes "contras" apoyados por la CIA que luchan en Nicaragua; barcos de contrabandistas que van y vienen, y naves piratas que asaltan a quien pueden. En esta maraña de intereses, los pescadores de aleta de tiburón son acosados constantemente por las lanchas de patrulla de los tres países limítrofes. Y a los militares –de derecha, izquierda o de centro– les cuesta creer las explicaciones de la tripulación de los botes interceptados. ¿Que están pescando tiburones? ¿Para exportarlos a la China? ¿Donde la sopa de aleta de tiburón es un afrodisiaco? Es una historia difícil de hacer creer en una zona donde muchos pescadores pueden ganar mucho más contrabandeando armas, licores y drogas a los varios países en guerra.

Pero las dificultades por las que atraviesan los cargamentos de aletas recién comienzan al salir del agua. De allí en más, tienen que cruzar zonas controladas por las guerrillas del FMLN, donde los caminos son rigurosamente vigilados por centinelas del ejército rebelde. Si bien La Unión, la ciudad costera de donde salen a pescar los tiburoneros salvadoreños, está en manos del gobierno de Duarte, la mayoría de las rutas que unen esta población con el resto del país están controladas por los guerrilleros.

Samuel Argueta Martínez, uno de los principales exportadores salvadoreños de aletas de tiburón, me señaló que uno de sus principales problemas es transportar las aletas desde La

Unión hasta la planta procesadora de su empresa en la ciudad de Santa Ana, en el otro extremo del país. A principios de este año, los guerrilleros interceptaron un camión que había salido de La Unión con 220 libras de aletas. No se las comieron –cosa que podría haber desviado sus bríos revolucionarios hacia actividades amorosas, y quizá cambiado el curso de la guerra– sino que incendiaron el cargamento. Los guerrilleros estaban llevando a cabo una campaña de sabotaje económico, destruyendo vehículos comerciales, centrales eléctricas y líneas telefónicas, para paralizar la economía del país y tomar el poder.

Según me explicó Argueta, la clave para impedir estos ataques es averiguar si los rebeldes han declarado un "paro", o sea, dado la orden de que no se circule por las carreteras nacionales el día en que las aletas sean transportadas. Los rebeldes acostumbran a incendiar los vehículos que violan la prohibición, y hay que estar al tanto de sus boletines radiales para no violar sus reglas.

Por eso, los choferes de los camiones que transportan las aletas sintonizan religiosamente Radio Venceremos, la emisora rebelde. Todas las mañanas, comienzan a escuchar la radio a las 6 a. m., para averiguar si ese día habrá paro. La emisora da informes precisos sobre la localización y duración de los paros, algunos de los cuales duran varios días. Los conductores de los camiones de Argueta están siempre alertas para saltar a la cabina de sus vehículos y salir al instante, aprovechando cada ventana de libre tránsito que ofrecen los guerrilleros.

Incluso cuando no hay paro, los guerrilleros frecuentemente detienen a los camiones y les exigen el pago de un "impuesto de guerra". Los choferes siempre llevan consigo billetes para pagar a los rebeldes. Los han parado tantas veces, que ya saben cuánto hay que pagar en cada retén. Algunos centinelas rebeldes se contentan con 20 dólares. Otros piden más, explica el empresario.

A pesar de estos inconvenientes, Argueta ve grandes posibilidades para la industria salvadoreña de exportación de aletas. La mano de obra aquí es barata, y la demanda de sopa de tiburón en el Oriente va en aumento. Y los pescadores salvadoreños pueden venderle a Argueta sus aletas en unos 3 dólares la libra –un precio con el que pocos países pueden competir– porque pueden hacer buen dinero con el resto del tiburón: la carne del mismo se cotiza bien en el mercado nacional, donde se mezcla con otras para engrosar el clásico ceviche salvadoreño.

En la planta procesadora de Argueta en Santa Ana, las aletas se dejan secar al sol durante unos siete días, y luego son exportadas a empresas de Miami por unos 17 dólares la libra. Cuando llegan al Lejano Oriente, las aletas se venden en 21 dólares la libra, un precio exorbitante en la mayoría de los países asiáticos. Pero si los chinos supieran de la odisea por la que deben pasar las aletas de tiburón desde las costas de El Salvador hasta sus mesas, probablemente no se quejarían, las pagarían con gusto, y valorarían mucho más sus efectos afrodisiacos.

✍

Un argentino en Tokio

TOKIO, Japón, *Agosto de 1975*. Eran las diez y media de la noche, y Ginza, el elegante centro comercial de Tokio, brillaba en su máximo esplendor. Por todos lados titilaban gigantescos letreros luminosos, y una disciplinada marea humana salía de los cines para dispersarse en bares, whiskerías y bocas de subterráneo. Muchos optaban también por dar una última caminata nocturna por la avenida Chuo, la calle principal del sector, donde Takashimaya, Maruzen y Mitsukoshi –tres de las principales tiendas niponas– ofrecían sus escaparates repletos de liquidaciones de temporada. La escena no se diferenciaba demasiado de cualquier noche de verano en la Quinta Avenida de Nueva York, en el Picadilly Circus de Londres o en la calle Lavalle de Buenos Aires, si no fuera por un pequeño, significativo detalle: se veían poquísimas mujeres entre la multitud. Las parejas –una constante de la vida nocturna de cualquier ciudad occidental– podían contarse con los dedos.

Intrigado, decidí preguntar sobre el fenómeno a Tsotomu Morisawa, un profesor de escuela secundaria que bordeaba los cincuenta, y a quien había conocido pocas horas atrás, incidentalmente, en la calle. "¿Y por qué te llama eso tanto la atención?", me preguntó, en su inglés entrecortado, con su enigmática sonrisa oriental. "Lo que ocurre es que nuestros matrimonios son muy diferentes a los que acostumbran tener ustedes, los occidentales –señaló luego–. Las mujeres japonesas deben quedarse en el hogar atendiendo a los niños y la limpieza de la casa. Por eso los hombres, cuando queremos divertirnos, salimos solos o con amigos. Pero nunca con nuestra mujer..."

Sorprendido, no pude contenerme y volví a la carga: "¿Cómo? ¿Eso significa que usted nunca llevó al cine a su mujer?". Lo que siguió fue sinceramente desconcertante a los ojos de cualquiera que, como yo, acababa de llegar a Japón. Morisawa-san (en japonés, el señor Morisawa) abrió los ojos a más no poder y expiró un prolongado "noooo". Luego siguió:

—En veinte años de casado, nunca la llevé al cine ni al teatro.

—¿Y a cenar afuera, a un lindo restaurante? ¿Tampoco?

—¿De noche? Nooo.

—Entonces, ¿ella no sale nunca de su casa?

—Sí, por supuesto que sale. Mi mujer es maestra de jardín de niños.

—¿Y eso qué tiene que ver?

—¿Cómo qué tiene que ver? ¡Sale todas las mañanas!

Instintivamente, miré a mi interlocutor a ver si no me había hecho una broma. Pero no: Morisawa-san continuaba serio, circunspecto, un tanto confundido por la sorpresa que mostraba este occidental preguntón. Poco después, durante las cinco semanas que permanecí recorriendo el Japón y otros países del Lejano Oriente, pude comprobar que este caso no era una excepción: los orientales, una sociedad eminentemente patriarcal, tienen concepciones acerca del amor y del matrimonio muy diferentes a las nuestras.

Ya me he referido en escritos anteriores al miai kekkon, el milenario sistema de casamientos por el cual los cónyuges se unen sin conocerse previamente, por acuerdo de ambas familias, y que aún hoy sigue siendo el preferido por los jóvenes nipones. A propósito, las estadísticas están a su favor: tan sólo uno de cada 25 matrimonios de este tipo termina en el divorcio, mientras que entre las parejas casadas según el "occidental style", como se dice aquí, el porcentaje de separaciones se eleva a una de cada cuatro. "El verdadero amor nace mucho tiempo después del matrimonio", me argumentaron varios japoneses. "Por eso, nosotros llevamos una vida conyugal mucho mejor que la de ustedes..."

El que los nipones se ufanen de sobrellevar sus matrimonios con mucha mayor armonía que los occidentales no me extrañó mucho después de haber presenciado una típica boda japonesa. Concurrí a una de estas ceremonias guiado por Shiro Michinyuki, el botones del hotel donde me hospedaba en Tokio, y también avanzado estudiante de arquitectura. Él me había alertado de que las bodas no se realizaban en los templos sino en grandes hoteles, y que cada uno de éstos poseía un altar y todos los elementos litúrgicos requeridos por el culto de Shinto. Así, seguí los pasos de Shiro hasta la sala donde acababa de comenzar uno de estos rituales. A primera vista, la escena no resultaba demasiado extraña. Los novios se encontraban sentados sobre una tabla enclavada frente al altar, y al lado de cada uno de ellos estaban ubicadas sus respectivas familias. Sin embargo, pronto descubrí algunas sutilezas que jamás hubiera sospechado.

Tanto el novio como su prometida –ninguno superaba los 25 años– vestían típicos atuendos japoneses. Ella llevaba un colorido kimono de seda, y él una bata no menos lujosa, aunque algo más sobria. Le pregunté a Shiro qué significaba el enorme, almidonado pañuelo blanco que la novia llevaba en su cabeza. ¿Tenía algún significado religioso?

"Eso es un tsuno-kakushi –replicó el botones–, que literalmente significa 'escondedor de cuernos'. Se trata de una costumbre que viene desde la antigüedad, según la cual nuestras mujeres, al casarse, deben colocarse uno de estos pañuelos para aplacar los legendarios cuernos del celo, una figura mítica japonesa. Una vez que se colocó el tsuno-kakushi, la mujer no debe ponerse celosa por nada de lo que haga su marido, aunque éste salga con otra en su misma noche de bodas..." Por cierto, sobre la cabeza del novio no había un tsuno-kakushi, ni nada que se le pareciera. Sólo lucía una engominada, impecable cabellera negra.

Esa misma noche, en el lobby del hotel, me topé con la pareja de recién casados, listos para emprender su viaje de bodas. Al contemplarlos, no pude contener una sonrisa: el joven marido se encontraba parado frente a la consejería comiendo ávidamente de su bolsita de popcorn –una actividad que interrumpía esporádicamente para despedirse con prolongadas reverencias de sus parientes y amigos–, mientras su mujer lo seguía atrás, sin perder el buen humor, cargando una pesada valija, un maletín, y con una poderosa cámara fotográfica colgada del cuello. Mientras se encaminaban hacia la puerta de salida, la madre del joven le alcanzó al recién casado una hermosa corona de flores artificiales.

"Nosotros solemos guardar las coronas, porque aquí son muy caras y les damos diferentes usos –me explicó Shiro, mientras contemplábamos la escena–. Mandamos las mismas coronas para los casamientos que para los sepelios". Un amigo argentino que participaba de nuestra conversación no pudo sino encogerse de hombros y rematar la observación con un alarde de viveza criolla: "Y, che... Total, ¡ambas cosas se parecen mucho!"

Conversando con varias personas en los días siguientes, busqué mil razones para explicar las causas de la institucionalizada superioridad social de los hombres japoneses sobre sus mujeres, y del sincero conformismo de éstas. De todos los argumentos que escuché –algunos alegaron motivos religiosos, otros pautas morales y algunos decretaron, sin pudor alguno, que los hombres son más inteligentes–, los más convincentes aludieron a la vieja ley de la oferta y la demanda. En Japón existen actualmente dos millones de mujeres más que hombres. En estas circunstancias, la cosa no está como para que ellas se vengan con pretensiones, me explicaron muchos.

Seguramente, Tokio, la capital nipona, debe ser la ciudad con mayor vida nocturna del mundo. Por lo menos, eso es lo que puede deducirse de una reciente estadística realizada entre las lectoras del semanario *Shufu to Selkatsso* (El ama de casa y su vida): según dicha encuesta, sólo un 56 por ciento de los maridos japoneses regresan a sus hogares antes de las diez de la noche. ¿En dónde se encuentra el resto? Probablemente, en alguno de los 97,000 bares, whiskerías, clubes nocturnos y baños públicos esparcidos en la ciudad, donde están empleadas nada menos que 500,000 mujeres.

"Pero no hay que sacar conclusiones apresuradas de estas cifras –me advirtió Tsuyoshi Kasuga, un industrial de unos 35 años que se sentó a mi mesa en un bar de Shinjuku, el segundo centro nocturno de Tokio después de Ginza–. El hecho de que los hombres no regresemos temprano a nuestras casas no significa que salgamos con otra mujer, o que tratemos de hacerlo. Lo que ocurre es que nosotros, para hacer negocios, somos muy ceremoniosos. Primero entablamos amistad con el cliente, y en la tercera o cuarta entrevista comenzamos a hablar de dinero. Al mismo tiempo, no podemos invitar a los clientes a casa a cenar, porque el 90 por ciento de nosotros vivimos con nuestras familias apretujados en un solo ambiente. Por eso, todas las entrevistas importantes y citas de negocios se realizan de noche, en los bares."

A tal punto es cierto lo que Kasuga-san me aseguraba, que el propio Estado japonés se ocupa de facilitar las salidas nocturnas de los sacrificados maridos de este país: los recibos de consumo de las whiskerías y los boletos de entrada a las casas de geishas son deducibles de impuestos, ya que el organismo recaudador japonés los considera gastos imprescindibles. En todos los bares nocturnos que visité en Tokio, Kyoto y Osaka, observé un espectáculo parecido: locales iluminados a medias, con parroquianos que platicaban en voz baja, sentados en mesas de a dos o tres. A pocos metros de ellos, las mozas –a veces vestidas de calle y otras con estrechas mallitas, según la categoría del local– se ocupaban de que los clientes de las tres o cuatro mesas a su cargo siempre tuvieran repletas sus copas. Rara vez se las veía interrumpir las conversaciones de los clientes: tan sólo intervenían en el diálogo cuando eran invitadas a hacerlo.

"Estas camareras son toda una institución en nuestro país –me comentaba Kasuga-san, un verdadero experto en estos asuntos, mientras caminábamos una noche hacia una casa de geishas–. Nosotros somos gente muy tímida y reservada, y ellas son las encargadas de romper las reservas y ayudarnos a acercarnos más a nuestros invitados". Y las geishas, ¿qué hacen?, fue mi lógica pregunta. "Bueno, hacen eso, pero tienen muchísima preparación para ello –retrucó–. Por eso, sólo pueden ir a la casa de geishas los ricos: sus tarifas son altísimas".

No quedé muy satisfecho con la explicación, pero resolví esperar unos minutos para develar la incógnita por mí mismo. Poco después entramos al local, nos sacamos los zapatos, y –luego de intercambiar numerosas reverencias con todas las presentes– nos sentaron sobre un tatami, la clásica alfombra de paja japonesa. Luego, una de las geishas –con la cara pintada de blanco y el pelo recogido– se sentó de cuclillas en un rincón de la habitación, tomó un recipiente con un líquido verde en su interior y con un aparato similar a una brocha de afeitar, comenzó a batir hasta que el pocillo rebasó de espuma. ¡Zas!, nos rasuran, pensé para mis adentros. Pero me equivocaba: lo que estaba presenciando no era otra cosa que la milenaria ceremonia del té, y la espuma que veía brotar del pocillo era –muy a pesar mío– el líquido que debíamos ingerir. Tuve que hacer un esfuerzo para terminar de tomar mi taza con una sonrisa de agradecimiento a flor de labios: el brebaje –té verde, en nada parecido al que conocemos en Occidente– es amargo, espeso, y con gusto a pasto.

Mi noche entre las geishas siguió adelante. Inmediatamente después, en lo que yo interpreté como una ceremonia previa a actividades más interesantes, dos de las mujeres que nos atendían treparon sobre una pequeña tarima y comenzaron a ejecutar, cítara en mano, una serie de temas populares japoneses. Me puse a observar a mi amigo Kasuga: extasiado, el hombre permanecía de cuclillas mirando hacia el cielo raso, con una inmutable sonrisa de felicidad en el rostro. Así quedó durante casi una hora. Hasta que, para mi sorpresa, consultó su reloj y me hizo una seña de que debíamos irnos.

"¿Cómo? –fruncí el ceño, desilusionado–. ¿Aquí se acaba todo? ¿Esto es todo lo que hacen las geishas?" Kasuga-san no me respondió. Se limitó a pagar la cuenta, inclinarse profundamente ante cada una de las anfitrionas, y dirigirse a la puerta de salida para buscar sus zapatos. Allí nos esperaba una señora mayor, seguramente la regente de la casa, una dama que no medía más de un metro cincuenta, de rasgos finos y envuelta en un costoso kimono. "Domo arigato, domo arigato (Muchas gracias, muchas gracias)", se reverenció ante nosotros. "Sayonara (Hasta siempre)", y cerró suavemente la puerta de entrada del local. No quise volver a importunar a Kasuga con mi pregunta. Evidentemente, mis fantasías eróticas sobre lo que ocurría dentro de las casas de geishas eran infundadas, o por lo menos apresuradas.

Algunos días más tarde, en la barra del Suntory Club de Hiroshima, una whiskería atendida por conejitas, al más puro estilo de los Playboy clubs norteamericanos, Ioshiko Kumata –el barman del local, de rigurosa etiqueta– me aclaró un poco el panorama. Reclinado sobre el mostrador, Ioshiko me susurró al oído que "las geishas sólo llegan a intimar con sus mejores clientes, y eso luego de varios meses, o incluso años de conocimiento previo. Ninguna persona que vaya por primera o segunda vez a una casa de geishas puede aspirar a otra cosa que a tomar un té..."

¿Y de dónde venían, entonces, las proezas sexuales que se les atribuyen en todo el mundo? "Lo que ocurre es que ellas ingresan a los seis años de edad en unas escuelas especiales, donde se les enseñan todas las artes para servir al varón: la ceremonia del té, arreglos florales, danzas, música y, por supuesto, el amor –continuó Ioshiko, espiando sobre sus hombros como si me estuviera confiando un secreto de Estado–. Entonces, permanecen pupilas en esos colegios hasta los 20 años, en que pueden comenzar a trabajar. Pero, actualmente, hay que tener mucho cuidado con estas chicas: la mayoría de ellas no son geishas verdaderas, y sólo se hacen pasar por tales para engañar a los turistas o a los mismos japoneses. Si no me equivoco, sólo existen 35 mil geishas auténticas en todo el país".

Al margen de los bares, whiskerías y casas de geishas, gran parte de la vida nocturna nipona tiene lugar en los baños públicos. No se trata de una exagerada veleidad higiénica del pueblo japonés. Por un lado, tan sólo el 56 por ciento de las casas de todo el país poseen baños privados –hace una década el porcentaje era del 35 por ciento– y por lo tanto muchos japoneses no tienen más remedio que concurrir a alguno de los numerosos baños públicos diseminados en las grandes ciudades. Por otro lado, las casas donde se desarrollan estos lavados masivos ofrecen un atractivo premio consuelo: el masaje japonés, practicado por experimentadas kinesiólogas.

En Osaka, le pedí a Kuni Kaneda, un joven comerciante de perlas, que me llevara a un típico baño japonés. "Mmmmm, no gustar, no gustar –se apretó los labios, señalándome con el dedo índice–. Si tú no estar acostumbrado desde chico, como nosotros, no gustar." Pese a sus advertencias, convencí a Kuni a que me llevara a uno de estos locales. Fue una experiencia más que curiosa. En primer lugar, previo pago de unos 300 yens per cápita, dejamos los zapatos en la boletería, bajamos unas escaleras y nos desnudamos en el vestuario reservado para los hombres (las mujeres deben caminar unos pasos más y dirigirse a otros vestíbulos y baños, exclusivos para ellas).

Acto seguido, seguí a Kuni hasta el baño de calor. Allí, alrededor de una treintena de japoneses, la mayoría de ellos jóvenes, yacían sentados en posición yoga, como resignados a que el calor los disecara. Permanecimos en el lugar alrededor de 20 minutos, durante los cuales fui objeto de los más escrupulosos estudios anatómicos: los japoneses, como la mayoría de los orientales, son casi totalmente lampiños; y mi cuerpo cubierto de pelos les resultaba increíblemente curioso. "¡Gorila, gorila!", parecían decir, mientras me contemplaban muertos de la risa.

Resignado a convertirme en la vedette del lugar, opté por reírme con ellos, hasta que mi compañero se puso de pie y me pidió que lo acompañara a la primera de las piscinas, donde otra veintena de muchachos nadaban alegremente y chapuceaban en el agua. "Primero de todo enjabonarse y ducharse –me enseñó Kuni–. Después entrar en la piscina: el agua de ésta no cambiarse, y mucha gente nadar en la misma agua. Entonces, deber entrar limpio." Lo que Kuni no me advirtió fue lo que a la postre resultó lo peor: se trata de una pileta de agua fría, en la cual hay que zambullirse directamente después del caluroso, casi asfixiante baño turco.

Los japoneses alternan el calor con el frío –lo que aseguran es excelente para la circulación sanguínea– y posteriormente se sumergen en varios piletones más pequeños, con diferentes masajes de agua: algunos de ellos con chorros verticales, otros con chorros horizontales y unos terceros –los más codiciados– con cosquilleantes burbujas de aire.

Finalmente, después de pasar por todas estas bañeras, llegamos a la sala de masajes. Quizá éste era el lugar donde se practicaban las artes que no había encontrado en la casa de geishas, pensé para mis adentros. Era un inmenso galpón, con largas hileras de camillas. En cada una de ellas yacía un cliente, apenas cubierto con un pequeño kimono, abandonado a las manos de su masajista. Pero bastó unos segundos de contemplar la escena para que quisiera volverme sobre mis pasos y salir del lugar: los famosos masajes, realizados por pequeñas pero robustas señoritas con guardapolvos celestes, consistían en fulminantes mazazos sobre la espalda, otros golpes no menos piadosos sobre las piernas y constantes puñetazos en todo el cuerpo.

En una camilla, a mi derecha, dos de las masajistas tironeaban de una misma pierna de un joven, como si estuvieran pugnando por extraerle una gigantesca mentira. Indudablemente Kuni tenía razón, pensé mientras abandonábamos el baño público: "Si no estar acostumbrado desde chico, no gustar..."

Existen, también, otros pasatiempos a los que pocos japoneses se resisten. El más conocido es el pachinko, una especie de máquina tragamonedas a la que muchos denominan el deporte nacional del Japón. Tan sólo en el centro de Tokio hay más de 3,000 de estas casas de juego, que se abren a las 10 de mañana y permanecen repletas de entusiastas jugadores hasta la hora de cierre, a las 11 y media de la noche.

La mecánica del juego es sencilla. Se compran alrededor de una veintena de bolitas de plástico por 100 yens, y luego se las introduce, una por una, en la máquina. Después, todo es cuestión de esperar. Las bolitas suben, bajan y se pasean de un lado al otro del panel, ganando diferentes puntajes de acuerdo con su itinerario. No todo se reduce a la suerte: por alguna extraña regla de matemática japonesa –digo japonesa porque nunca alcancé a descifrarla–, los jugadores tienen más chances de ganar cuantas más bolitas logran mantener en juego al mismo tiempo. "Por eso, para ganar en el pachinko hay que ser muy rápido con la mano –me confió la cajera de uno de estos locales–. Los campeones siempre logran tener alrededor de diez pelotitas constantemente en juego." Los puntajes altos otorgan algo más que satisfacción moral: cada tanto es retribuido con un premio de bolitas de plástico, que pueden ser cambiadas en un rincón del local por cigarrillos, chocolates y hasta camisas de vestir, según la cantidad que uno haya ganado.

Otros de los pasatiempos favoritos en el Japón tienen lugar al aire libre, en las plazas públicas o las aceras de las grandes avenidas. A cualquier hora del día, se pueden ver muchachos practicando judo, beisbol, o improvisando canchas de golf. Pero pocas cosas me llamaron tanto la atención como el unagi zuri, la pesca de anguilas en plena vía pública. Una tarde, caminando por las calles de Kioto con Michiko Fuji, una joven veinteañera que se ofreció de guía con el sólo propósito de practicar su inglés, me topé con uno de estos puestos.

Era una pequeña piscina de lona colocada en una de las esquinas más transitadas de la ciudad. Sobre ella, podían verse varios hombres –algunos de ellos de traje y corbata– inclinados, sosteniendo endebles cañitas de pescar en la mano. Le pedí a Michiko que le solicitara al encargado una de estas varillas para mí. La joven parlamentó durante diez minutos con el cuidador –no sé por qué, pero demoró un tiempo extraordinario para decir lo que en otro país probablemente requeriría un par de palabras– hasta que, cañita en mano, me dispuse a participar del singular torneo de mini-pesca.

"Los anzuelitos no tienen carnada –me explicó luego mi acompañante–. Por eso, tienes que jugar con ellos en el agua para engancharlo justo en la boca de la anguila." La cosa no era nada sencilla. En primer lugar, porque –cosa que nunca me había detenido a observar hasta entonces– las anguilas tienen una boca muy chica. En segundo lugar, las varillas son de una madera muy fina, y la línea de pesca es prácticamente un hilo de coser. De manera que, si uno tiene suerte de enganchar uno de estos peces, corre el riesgo de perderlo por una quebradura de la cañita, o del hilo. ¿Y qué pasa con aquellos afortunados que logran sacar de la tina una anguila? "Se la pueden llevar a su casa –respondió Michiko–. Sirven para preparar el kabayaki, que es una comida que hacemos con anguilas, salsa japonesa y azúcar."

Un detalle que me sorprendió de sobremanera, tanto en el pachinko, el unagi zuri, como en casi todos los entretenimientos japoneses, es que no se fija límite de tiempo alguno para el cliente. "¿Cómo que cuánto tiempo puede jugar con 100 yens? –se sorprendió ante mi pregunta el encargado de un puesto de anguilas–. ¡El que quiera!". En efecto, los japoneses parecen tomarse su tiempo para todo. Ya sea para ensartar anguilas en la calle, o para el sofisticado arte de seducir a una geisha, nada se logra sin la santa paciencia. Es algo que llama la atención a los visitantes argentinos, que no podemos dejar de hacer comparaciones con las grescas callejeras que se arman en nuestras calles por cualquier demora de quienes están delante nuestro en una fila. ¿Alguien se imagina qué pasaría en una cola para jugar al unagi zuri en una esquina de Buenos Aires? Yo no, ¡pero me gustaría!

✍

Borges

En colaboración con **Jorge Lafforgue**.

BUENOS AIRES, Argentina, *Abril de 1973.* Aunque no es un habitué de las mesas redondas televisivas, a las que acuden con tanto entusiasmo muchos de sus colegas, su nombre no está del todo olvidado por los medios argentinos. Así lo demuestran las esperanzadas versiones que todos los años, a mediados de octubre, ocupan las primeras planas de los principales periódicos locales, cuando Jorge Luis Borges, 73 años, es mencionado como firme candidato al Premio Nobel de Literatura. El galardón se le ha ido varias veces de las manos desde hace casi diez años, pero su candidatura al mismo lo confirma como el más notorio escritor argentino a nivel internacional. Estos esporádicos accesos a la notoriedad no son los únicos que convierten al autor de *El Aleph*, *Ficciones*, y *El informe de Brodie* en motivo del comentario público: sus polémicas opiniones sobre diversos temas de la actualidad política nacional e internacional le han valido una imagen tan controvertida como la de el más intrincado de sus personajes. Considerado por muchos como un reaccionario –Pablo Neruda llegó a calificarlo de "dinosaurio político"–, glorificado por otros y discutido por una inmensa mayoría, el anciano y casi ciego creador amenaza con perpetuarse como el mayor enigma de la literatura nacional. La semana pasada, conversamos con Borges en una tradicional confitería porteña. (N. de E. La entrevista se realizó pocas semanas después de las elecciones del 11 de marzo de 1973, que el candidato peronista Héctor J. Cámpora ganó por una mayoría aplastante. Cámpora había prometido facilitar el regreso al país del General Juan Domingo Perón, exiliado en España, cuya vuelta a la Argentina había sido prohibida desde hacía casi dos décadas.) El diálogo, que fue grabado, se transcribe textualmente.

—¿Qué opinión le merece la situación política del país?

—Yo abandonaría la Argentina, pero mi madre está muy, muy enferma. Ella me ha acompañado toda la vida y ahora no puedo dejarla sola. Figúrese que ha cumplido 96 años.

—¿Por qué razón se iría?

—Aquí mi situación va a ser intolerable. De la Biblioteca Nacional, donde soy director, pueden echarme directamente o bien hacerlo a fuerza de humillaciones. Los peronistas pueden pedirme también la renuncia, pero yo no accederé: si ellos deciden hacer eso, que asuman la responsabilidad. De otra manera, yo les estaría haciendo un favor. ¡Y cómo les voy a hacer un favor a mis enemigos! Sería algo insensato.

—Sin embargo, al permanecer en ese puesto oficial usted participaría, de alguna manera, del futuro gobierno justicialista. ¿No le parece una postura incongruente?

—Sí, es incongruente. Es que todo esto es muy difícil. Pero, además, tengo que ganarme la vida de algún modo. Nadie puede vivir de lo que escribe: recuerden que al autor le corresponde tan sólo un diez por ciento sobre cada ejemplar vendido. Pocos días atrás hablé con Syria Poletti, que es la autora que en este momento más vende, y me confesó que ni ella podría subsistir con los derechos de autor.

—¿Y qué le indica que el nuevo gobierno habrá de solicitarle la renuncia?

—Yo preveo una época de persecuciones. Si me persiguieron antes, cuando era desconocido, mucho más me perseguirán ahora, que tengo algún renombre.

—¿Qué le hace pensar eso?

—Ahora será mucho peor. Antes Perón no tenía nada que vengar. Cuando asumió el poder, en 1945, tuvo todo en sus manos como para realizar un excelente gobierno y no tenía por qué perseguir a nadie. Sin embargo, lo hizo. ¡Imagínese ahora, con 17 años de rencor!

—Pero en esa época no planteaba, como hoy, un programa de pacificación nacional...

—¿Pacificación nacional? La verdad, no se nota. Si usted oye las manifestaciones, se dará cuenta de que no se trata de gente contenta. Se trata de gente muy enojada.

—En todo caso, ¿ese enojo no podría tener alguna justificación?

—No, para mí no tiene ninguna razón.

—¿No exagera usted un poco? ¡Más de seis millones de equivocados!

—La mayoría de esos muchachos no han conocido aquello. Son partidarios de todo lo que hizo Perón. Y bueno, vamos a ver: ¿de qué ha vivido Perón durante los últimos 17 años en España? ¿Dando lecciones de castellano? Creo que no. Aún suponiendo que haya vivido muy modestamente, ¿cómo se ha ganado la vida? Nadie lo sabe. O mejor dicho, todos lo sabemos demasiado bien. Y todo lo demás, los robos, los crímenes y las persecuciones son hechos indudables.

—¿A qué atribuye, entonces, el hecho de que más de seis millones de argentinos lo hayan votado?

—La mayoría de la gente es tonta.

A mí me repugna la idea de que una persona permita que le digan "¡Perón, Perón, qué grande sos!" Ese tipo o está loco o es un imbécil. Si a mí alguien me dijera: "¡Fulano de tal, qué grande sos!", yo le respondería: "Bueno, vea, amigo, cambiemos el tema..."

—Sus críticas apuntan a la persona de Perón, pero nunca hacen hincapié en la doctrina justicialista.

—Es que no existe ideología justicialista alguna.

—¿Acaso no asoció usted alguna vez el peronismo con el fascismo?

—Alguna similitud existe. Mire, yo detesto a los comunistas, pero por lo menos tienen una teoría. Los peronistas, en cambio, son snobs.

—Una indiscreción: ¿por qué votó en las elecciones del 11 de marzo?

—Mire, yo tenía tan poco interés en votar... Y, cuando se lo comenté a mi madre, ella me dijo que tenía muchas ganas de sufragar, pero que su enfermedad se lo impedía. Entonces le pedí la boleta y –con la promesa de no abrir el sobre– deposité el voto en la urna.

—¿Sabe entonces por quién votó?

—Mi madre me dijo luego que por la Nueva Fuerza.

—¿Le satisfizo esa elección?

—Bueno, no me arrepiento, pero pienso que fue un voto perdido. Yo hubiera votado por los radicales, no por Balbin sino para hacer fuerza contra el peronismo.

—En otra época, sin embargo, usted mostró más afecto hacia el radicalismo. Por ejemplo, es sabido que en 1928 promovió un comité en apoyo al presidente Yrigoyen.

—Es cierto, y creo que fue gran error. Más que nada lo hice basándome en el hecho de que mi abuelo fue muy amigo de

Leandro Alem. Fue un comité genealógico, como ustedes ven. Además, tenía una idea romántica de Yrigoyen.

—De los gobiernos de la última década, ¿cuál es el que más se aproximó a sus expectativas?

—Ninguno, todos se dedican al turismo y a viajar rodeados de grandes séquitos. He tenido oportunidades de hablar con el presidente Arturo Illia, es verdad, y me pareció un caballero.

—Pero los siete años de gobierno militar, ¿fueron destructivos?

—Yo pienso que el país está en decadencia desde la Ley Sáenz Peña.

—¿Como?

—Claro, es absurdo que todo mundo pueda votar e intervenir en el gobierno.

—¿Qué tipo de Estado desearía?

—Un Estado mínimo, que no se notara. Viví en Suiza cinco años y allí, por ejemplo, nadie sabe cómo se llama el presidente. Yo propondría que los políticos no fueran personajes públicos.

—La abolición del Estado que usted propone tiene mucho que ver con el anarquismo.

—Sí, exacto, con el anarquismo de Spencer, por ejemplo. Pero no sé si somos lo bastante civilizados para llegar a eso. Como lo decía recién, no me gustan las personas que se promocionan a través de la política. Son despreciables.

—¿Piensa seriamente que tal Estado es factible?

—Por supuesto. Eso sí, es cuestión de esperar doscientos o trescientos años.

—¿Y mientras tanto?

—Mientras tanto, jodernos.

—Con usted ocurre algo curioso: tanto sus defensores como sus detractores lo consideran uno de los mejores, si no el mejor escritor argentino.

—Bueno, pues ahí ya estamos en desacuerdo. Yo creo que hay veinte escritores superiores a mí en el país.

—¿Por ejemplo?

—Si fuese a enumerar...

—No hace falta que cite a veinte, sólo algunos.

—Bioy Casares es muy superior a mí, Mujica Láinez es superior a mí; Mujica Láinez me aventaja.

—¿Cortázar?

—Lo he leído muy poco.

—Y lo poco que ha leído de él, ¿le gustó?

—Sí, yo fui el primero que publicó un texto de Cortázar en Buenos Aires. En realidad, muy bueno no era: se llamaba "Casa Tomada". Si hubiera sido del todo bueno, tendría que haber dejado cierta impresión de terror, de inquietud. En cambio, uno lo leía y pensaba "está bien". Y nada más. Pero mire: recuerdo que él me lo dejó y dijo que iba a volver a la semana siguiente. Yo le dije: "Vuelva en diez días y voy a comentarle si me gustó o no". Cuando Cortázar volvió, le comuniqué que su obra ya estaba en imprenta. Pero eso fue hace muchísimos años. Después nos vimos en París y él me recordó ese episodio que yo había olvidado. Desde entonces no nos hemos visto.

—Muchos críticos han hecho notar la influencia de sus cuentos sobre los de Cortázar.

—Yo supongo que los de él serán mejores. Bueno, no seamos pesimistas.

—¿Y qué opina de Marechal?

—Marechal. ¡Ah, recuerdo que una vez él me dijo que yo no sabía hablar en francés. Yo le contesté: "Si voulez, nous pouvons continuer a parler en francais": Se quedó mudo: no sabía una sola palabra en francés.

—Sin embargo, Marechal vivió mucho tiempo en París...

—No, él vivió en Villa Crespo. Nunca estuvo en París. Y si estuvo, tanto peor, porque no aprendió nada.

—Y en cuanto a la literatura latinoamericana de la que tanto se habla últimamente, ¿qué piensa?

—Yo no creo que América Latina exista; pienso que es una especie de haraganería, de comodidad. La República Oriental del Uruguay, desde luego, es parte de la república Argentina, como dije alguna vez en Montevideo. Y fuera de eso, yo no sé hasta donde tenemos algo en común con el resto de los países de América. Por lo pronto, éste es un país de clase media. Por ejemplo, Perú o Colombia son países con una gran población indígena (que aquí no existe, porque aquí matamos a todos los indios) y una pequeña aristocracia blanca muy adinerada.

—¿Quién mató a los indios en la Argentina?

—Entre otros, mi abuelo.

—¿Y usted justifica el exterminio de los indios? ¿La forma en que procedió su abuelo, por ejemplo?

—Bueno, creo que nosotros hicimos bien en librarnos de los españoles. España era un país en decadencia y las invasiones inglesas demostraron que podíamos gobernarnos solos; por lo tanto, la guerra de la independencia se justifica. Algo parecido sucedió con los indios. Asaltaban las estancias y había que defenderse. Miren, mi abuelo fue jefe de las tres fronteras: norte y oeste de Buenos Aires, y sur de Santa Fe. Mi abuela lo acompañó cuatro años y tuvo ocasión de conversar con Catriel, con Pincen, con muchos caciques: eran bárbaros. Muchos no sabían contar más allá del cuatro. La guerra contra los indios fue muy cruel de ambos lados. Pero los españoles primero, y los que conquistaron el desierto después, representaban la cultura.

—¿Y usted cree que los conquistadores trataron de transmitir a los indios esa cultura?

—No, puesto que ellos mismos tenían poca cultura. Pero de cualquier manera tenían más que los indios, que no tenían ninguna.

—¿Entonces usted plantea el problema en términos de cultura e incultura?

—Sí, creo que sí. Como dijo Sarmiento: civilización y barbarie; salvo que Sarmiento se equivocaba en suponer que la barbarie la asumían los gauchos. Porque no creo que los gauchos tuviesen ninguna idea: les daba los mismo un bando que otro. Mi abuelo conoció un paisano de San Nicolás que se batió en Cepeda y en Pavón, una vez de parte de su provincia natal –Buenos Aires– y otra de Entre Ríos. Mi abuelo le dijo: "Pero, ché, ¿no te da vergüenza haber peleado contra tus paisanos?" Resultó que el pobre hombre no sabía qué diferencia podía haber entre porteños y entrerrianos, no tenía la menor idea. Y esto se ve en el poema de Hernández. Martín Fierro se pasa a los enemigos, a los indios, pero él mismo no piensa que es un traidor, lo hace con toda inocencia y con toda ignorancia. Y yo creo que ha sido así. Por ejemplo, los gauchos de Güemes realizan una obra que admiramos, porque después de todo defendían la causa de la independencia. Sin embargo, ¿creen que cada uno de esos gauchos diferían de los gauchos de Artigas o de Quiroga? Eran iguales, y la prueba está en que todos seguían a un caudillo: no seguían una idea, porque eran incapaces de hacerlo: eran muy, muy primitivos.

—Entonces, ¿existiría una violencia permitida (por ejemplo, la que se empleó contra los indios) y otra condenable, como la que le adjudica a sus enemigos?

—Si la violencia se utiliza en nombre de la cultura, la admito. Si no, no. Por eso creo que, con todo, los soldados de la conquista del desierto peleaban por una cosa más justa que los indios, que lo hacían por nada. Pero me pregunto, ¿por qué insisten tanto en un tema tan exótico como el de los indios? ¡Ustedes parecen bolivianos!

—Trasladándonos a un tema concomitante, causaron mucho revuelo sus declaraciones con respecto a la situación de los negros en Estados Unidos.

—¡Ah, sí! Son insoportables esos negros. Fíjense que en Estados Unidos un negro puede recorrer cualquier barrio blanco y, en cambio, un blanco jamás puede entrar en un barrio negro.

—¿A qué se deben los conflictos?

—Al error de haberlos educado, de recordarles que en épocas anteriores han sido esclavos. Yo recuerdo que, siendo niño, mi abuela me contaba que los esclavos que vendía la familia Lavallol en la Plaza de Retiro no tenían la menor idea de que a sus padres los habían traído de África. No sabían nada, eran como chicos.

—¿Y eso está bien?

—Era preferible eso al estado calamitoso en que se encuentran ahora.

—A usted, por ejemplo, ¿le gustaría tener un par de esclavos en su casa?

—Y, bueno, es como decía Carlyle: "Es mejor tener sirvientes vitalicios, que tener que renovarlos cada dos o tres meses". Además, en Argentina la esclavitud fue mil veces más blanda que en Estados Unidos: los negros se desempeñaban en tareas del servicio doméstico. No trabajan mucho. Mi tío me decía muchas veces: "Sos un haragán, sos peor que un esclavo después de las doce". Y eso era porque después del mediodía se iban a dormir la siesta y no hacían más nada. Para colmo, eran muy snobs.

—¿Los negros, snobs?

—Mire, llevaban el mismo apellido que sus dueños. Había uno, por ejemplo, que se llamaba Acevedo, igual que mi madre. Además, los negros tenían un diario que circulaba en los conventillos de Palermo que se llamaba *La Voz del Norte*. Y allí podían leerse avisos tales como: "Hoy, reunión chez Lezica", y cosas por el estilo.

—Volviendo a los negros de Estados Unidos, ¿qué solución propone?

—Yo no propongo nada. No los malquiero. Y en Estados Unidos, como dijo Paul Groussac, ya es demasiado tarde. Liberarlos fue una solución genial, pero como ustedes saben, los negros norteamericanos no quieren retornar a África.

—Otro problema que aflige a los Estados Unidos es la guerra de Vietnam. ¿Usted estuvo de acuerdo con ese conflicto bélico?

—Si sirvió para detener el comunismo, sí. Pero en Estados Unidos nunca pude decir eso: allí todo el mundo estaba en contra de la guerra. Los americanos son muy sentimentales: existe una tendencia generalizada (que se ha propagado en todo el mundo) a apoyar la pobreza, la barbarie y la ignorancia. Supongamos, por ejemplo, que hubiera una guerra en Suiza contra los esquimales. ¡Todo el mundo estaría a favor de los esquimales! Es un problema de sentimentalismo. Fíjense el culto al gaucho... la exaltación de Martín Fierro.

—¿No le gusta el Martín Fierro?

—Estéticamente sí, pero el personaje me parece horrible. Es un criminal sentimental, y yo no creo que los gauchos hayan sido sentimentales.

—¿Qué opina de la creciente participación de la mujer en la cosa pública?

—Estoy de acuerdo, ¿por qué no? Varias veces, en la Academia Argentina de Letras, propuse el ingreso de Victoria Ocampo.

—Pero, al mismo tiempo, hizo un comentario público adverso al ingreso de Luisa Mercedes Levinson.

—No, no fue así. Ocurrió que muchos académicos me objetaron el ingreso de Victoria, porque entonces, decían, iban a entrar todas las mujeres (Silvina Bullrich, Luisa Mercedes Levinson y otras). Lo que yo dije fue que como el voto es individual y como se requiere la mitad más dos de los votos para ganar la elección, "no debemos temer una invasión de amazonas".

—¿Conoce los postulados de los movimientos feministas?

—Es absurdo diferenciar entre hombres y mujeres. Es decir, podrá ser importante para otros fines, pero a los efectos del trabajo lo mismo dan. George Eliot y Virginia Woolf fueron tan buenas como el mejor de los novelistas varones. Les voy a decir más: he pasado gran parte de mi vida en oficinas –uno de los lugares más tristes que conozco– y he observado que las mujeres trabajan mejor. Porque para ellas el trabajo es una novedad: les dan un escritorio y una máquina de escribir y se sienten bien, resultando así más eficaces.

—Tanto el tema del amor como la presencia de la mujer no son muy frecuentes en sus libros.

—Yo creo que las cosas que se dicen indirectamente tienen más fuerza. Cuando Bernard Shaw dice: “Hay dos formas de la mentira: la mentira y la estadística”, tiene mucho más fuerza que si dijera: “Hay dos clases de mentira: el psicoanálisis y la estadística”.

—¿Usted asocia el psicoanálisis con la mentira?

—Claro. El psicoanálisis es una ciencia totalmente hipotética. ¿Cómo se puede basar una ciencia en lo que recuerda o deja de recordar una persona? Si ni siquiera se sabe si esa persona tiene o no memoria... No se la puede tomar en serio. Es lo mismo que la astronomía o la sociología, son ciencias hipotéticas.

—¿Podría aclarar un poco eso?

El psicoanálisis es una ciencia basada en la vanidad de la gente. A todo el mundo le gusta hablar de sí mismo, que lo tomen en serio. Es muy lindo contar los sueños de uno. Yo no conozco a ninguna persona que se haya curado con el psicoanálisis. Al contrario, se vuelven más vanidosos y charlatanes.

—Sin embargo, el psicoanálisis ha tenido su mayor aceptación en los países que usted más admira, como Estados Unidos e Inglaterra.

—¿Y qué tiene que ver? Los ingleses también hicieron mucho mal al mundo. Por ejemplo, lo han llenado de estupideces como el futbol.

—¿Qué tiene el futbol de estúpido?

—A mí no me gustan los deportes en que hay ganadores y perdedores. Prefiero el ingenio del ajedrez, por ejemplo, aunque pienso que debería inventarse un deporte en que no haya vencedores ni vencidos.

—¿Qué juego le gusta, además del ajedrez?

—Si no fuera tan miope, me gustaría la riña de gallos. Es un juego totalmente imparcial.

—¿Y en materia de deportes masivos?

—Bueno, la natación, la equitación.

—No, masivos....

—Ninguno. Nunca me gustaron los lugares donde hay mucha gente reunida. Por eso jamás concurro a los cócteles: me asusta ver a tantas personas juntas.

—¿Qué significa el dinero para usted?

—Nada, a mí no me significa nada. Jamás tuve mucho dinero: la literatura no es muy generosa en ese sentido.

—Y si lo tuviera, ¿qué haría?

—Trataría de librarme de él lo más pronto posible. Me sentiría incómodo. Creo que la gente que tiene mucho dinero se siente incómoda. Tal vez, gastaría algo en libros, y me compraría una casita en el barrio Sur. Soy un enamorado de los barrios Monserrat y La Concepción, aunque, es curioso, en total Buenos Aires me parece una ciudad horrible.

—¿Qué es lo que no le gusta?

—Pocas ciudades son tan feas como Buenos Aires. Y con el Obelisco y las macetas en la calle Florida terminaron de afearla.

—Al comenzar este diálogo, usted dijo que quizás dejaría el país. ¿A dónde iría?

—Mire... con todo, es preferible sufrir en Buenos Aires que sufrir de nostalgia en el extranjero.

—Para terminar, ¿sería desacertado suponer –de acuerdo con todo lo conversado– que usted hace un culto del individualismo por encima de todo lo que haga a la vida comunitaria o política?

—Claro, yo creo que sólo existen los individuos: todo lo demás, las nacionalidades y las clases sociales, son meras comodidades intelectuales.

—Pero usted, por ejemplo, al diferenciar a la Argentina del resto de América Latina apeló a un análisis de clases sociales...

—Y, bueno, yo soy muy ilógico. Lo que pasa es que ustedes me toman demasiado en serio.

✍

Posdata: Perón regresó al país, pocos meses después de realizada esta entrevista, Borges no se fue de la Argentina, ni sufrió represalias de consideración. El escritor falleció en Suiza, donde según muchos fue a morir, en 1986.